Erläuterungen und Dokumente

Heinrich Heine
Deutschland. Ein Wintermärchen

HERAUSGEGEBEN VON
WERNER BELLMANN

PHILIPP RECLAM JUN. STUTTGART

Heines »Deutschland. Ein Wintermärchen« liegt unter Nr. 2253 in Reclams Universal-Bibliothek vor. Die Verszählung in den Erläuterungen bezieht sich auf diese 1979 revidierte Ausgabe.

Universal-Bibliothek Nr. 8150 [2]

Karte: Theodor Schwarz, Urbach. Satz: C. H. Beck, Nördlingen
Gesamtherstellung: Reclam, Ditzingen. Printed in Germany 1981
ISBN 3-15-008150-5

Inhalt

Stationen von Heines Reise 1843
Im »Wintermärchen« erwähnte Orte sind unterstrichen

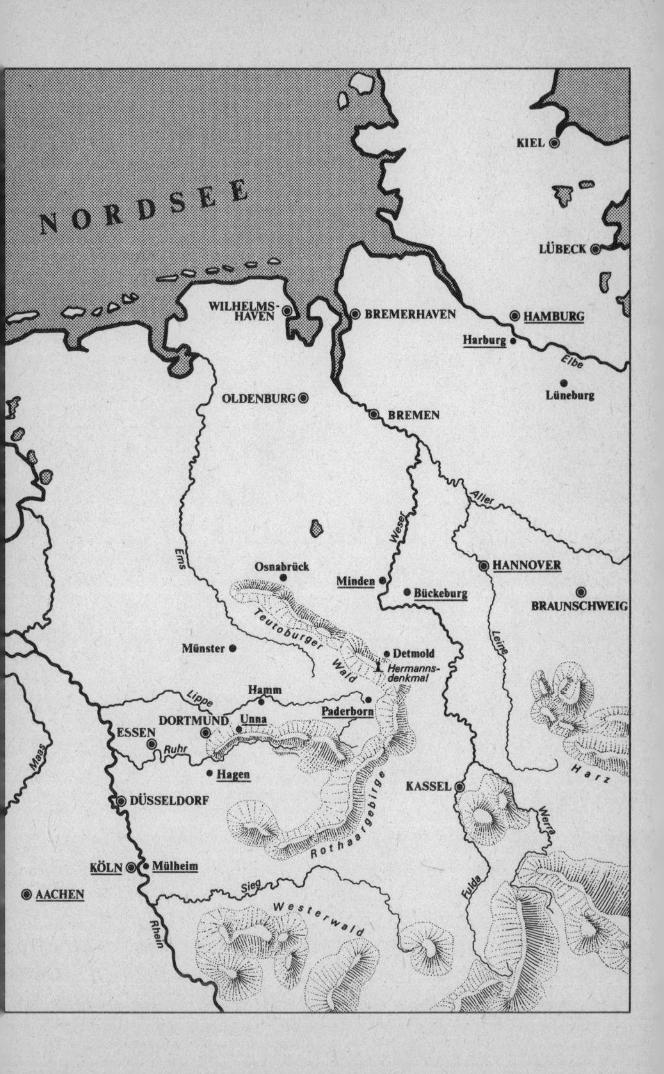
NORDSEE
KIEL
LÜBECK
WILHELMS-
HAVEN
BREMERHAVEN
HAMBURG
Harburg
Elbe
Lüneburg
OLDENBURG
BREMEN
Aller
Weser
Ems
HANNOVER
BRAUNSCHWEIG
Osnabrück
Minden
Bückeburg
Teutoburger
Wald
Leine
Münster
Detmold
Hermanns-
denkmal
Hamm
Lippe
Paderborn
DORTMUND
Unna
ESSEN
Ruhr
Hagen
Maas
Harz
KASSEL
DÜSSELDORF
Rothaargebirge
Werra
KÖLN
Mülheim
AACHEN
Sieg
Westerwald
Fulda
Rhein

I. Wort- und Sacherklärungen

ankbar zu Rate gezogen wurden die Kommentare der im iteraturverzeichnis angeführten Heine-Ausgaben von Eler, Walzel, Kaufmann und Briegleb sowie die Texterläuteungen in den didaktisch orientierten Publikationen von össmann/Woesler (»Politische Dichtung«, Düsseldorf 974) und Fingerhut (Frankfurt a.M. 1976).

in Wintermärchen: Der Untertitel ist – wie der zur 1847 erschienenen Buchausgabe des »Atta Troll« (»Ein Sommernachtstraum«) – durch ein Drama Shakespeares angeregt: »The Winter's Tale« (»Das Wintermärchen«; vgl. ebd. II,1: »Ein traurig Märchen paßt für den Winter«). Sinn und Hintergrund der Titelgebung erhellen aus einem Vorrede-Entwurf Heines zur frz. Ausgabe in den »Poëmes et légendes« (Paris 1855): »Die folgenden Seiten bilden das Gegenstück zu den ›Briefen aus Helgoland‹, in denen das politische Erwachen Deutschlands zur Zeit der Juli-Revolution [1830] aufblitzt. Deutschland ist von neuem eingeschlafen, und die allgemeine Lethargie, die Stagnation, die jenseits des Rheins vor der Februar-Revolution [1848] herrschte, wird in diesem humoristischen Gedicht geschildert« (Übersetzung nach: HSS IV,1046). Auf Deutschlands ›winterlichen Erstarrungsschlaf‹ hebt auch Georg Schirges in seiner Rezension vom 23. 10. 1844 ab (vgl. Kap. IV,1).
In Anlehnung an Heine wollte Bertolt Brecht (1898–1956) seine 1935–38 im dän. Exil entstandene Szenenfolge »Furcht und Elend des Dritten Reiches« zunächst »Deutschland – ein Greuelmärchen« nennen. Zum 100. Todesjahr Heines veröffentlichte Arnolt Bronnen (1895–1959) »Deutschland. Kein Wintermärchen. Eine Entdeckungsfahrt durch die Deutsche Demokratische Republik« (Berlin [Ost] 1956); er stellte jedem der 14 ›Reisebriefe‹ eine Strophe aus Heines »Wintermärchen« voran.

Vorwort

3,7f. *im Monat März an meinen Verleger:* Wie sich a Heines Brief an Julius Campe (1792–1867) vom 5. 6. 18 ergibt, ging das Manuskript erst mit dem Dampfschi vom 1. Juni nach Hamburg (vgl. Kap. III).

3,10 *fatalen:* aus lat. fatalis ›vom Schicksal gesandt‹; nah unter Einwirkung von frz. fatal die Bedeutung ›widerwä tig, unangenehm‹ an.

3,13 *Schellen des Humors:* Schellen, im Mittelalter als Ve zierung der Festgewänder von Rittern und Vornehm verwendet, wurden später zum Kennzeichen des Na renkostüms; daher: Symbol für die Narrheit.

3,19 *Aristophanes:* griech. Komödiendichter (um 445 b um 385 v. Chr.), der Persönlichkeiten und Mißstände se ner Zeit mit derbem Spott und überlegenem Witz anpra gerte (vgl. Cap. XXVII,21 ff.).

3,22f. *Sittlichkeit:* In der frz. Ausgabe (»Poëmes et léger des«, Paris 1855): »morale chrétienne« (christliche M ral).

3,23 *Cervantes:* der span. Dichter Miguel de Cervantes Sa vedra (1547–1616), mit dem »Don Quijote« (1605–1 »Stifter des modernen Romans« (HSS IV,160).
Molière: Jean Baptiste Poquelin, genannt Moliè (1622–73); lebte seit 1658 als Günstling Ludwigs XI (1643–1715) in Paris, wo die wichtigsten seiner satirische Komödien entstanden. – In der »Geschichte der Religic und Philosophie in Deutschland« (1835) schreibt Hein »Darum eben ist Molière so groß, weil er, gleich Arist phanes und Cervantes, nicht bloß temporelle Zufälligke ten, sondern das Ewig-Lächerliche, die Urschwächen d Menschheit, persifliert« (HSS III,535).

3,25 *beider Kastilien:* Das zentrale Hochland Spaniens wir durch ein Gebirge in Alt- und Neukastilien geteilt.

3,32 *Pharisäer:* Angehörige einer im 2. Jh. v. Chr. entsta denen religiös-politischen Partei der Juden; im Neuen T stament wegen ihres Hochmuts und ihrer Heuchelei vo

Jesus angegriffen (Matth. 23); danach übertragen für: selbstgerechte Heuchler.

3,34 *Zensur:* behördliche Stellen, die mit der Überprüfung von Druckschriften befaßt sind, um unerwünschte Veröffentlichungen auszuschalten und die Publizistik im Sinne der Staatsführung zu beeinflussen (vgl. Kap. III).

4,3f. *Lakaien in schwarz-rot-goldner Livree:* Gemünzt auf (ehemalige) Burschenschaftler und liberal Gesinnte, die sich – gewollt oder ungewollt – zu ›literarischen Lohnlakaien‹ haben machen lassen und »vermummt in den Farben und Redensarten des Liberalismus« (HSS IV,90) einen chauvinistischen Nationalismus vertreten. Vgl. Anm. zu XVI,89–92 sowie Heines Bemerkung in der Vorrede zu den »Französischen Zuständen« (1832): »Dieses Preußen! wie es versteht seine Leute zu gebrauchen! Es weiß sogar von seinen Revolutionären Vorteil zu ziehen. Zu seinen Staatskomödien bedarf es Komparsen von jeder Farbe. Es weiß sogar trikolor gestreifte Zebras zu benutzen« (HSS III,97).

4,14 *dreizehn Lebensjahre im Exile:* Heine war im Mai 1831 nach Paris ins »freiwillige Exil« gegangen (lat. exsilium ›Verbannung, Verbannungsort‹). – Die Abwesenheitsfrist von 13 Jahren übernahm Thomas Mann (1875 bis 1955) in seine Novelle »Tonio Kröger« (1903). Vgl. Volkmar Hansen, »Thomas Manns Heine-Rezeption«, Hamburg 1975, S. 102 (Nachweis weiterer »Wintermärchen«-Reminiszenzen Th. Manns ebd. S. 196f. und 285f.).

4,22 *Humanität:* (lat.) Menschlichkeit; die höchste Entfaltung menschlicher Kultur und Gesittung und entsprechendes Verhalten gegenüber den Mitmenschen.

4,29 *an seinem Ufer stand meine Wiege:* Heine ist 1797 in Düsseldorf geboren.

4,31 *als den Landeskindern:* Danach Zusatz in der frz. Ausgabe: »Il faut avant tout le tirer des griffes des Prussiens; après avoir fait cette besogne nous choisirons par le suffrage universel quelque honnête garçon qui a les loisirs nécessaires pour gouverner un peuple honnête et laborieux«

(Man muß ihn vor allem den Klauen der Preußen entreißen; nachdem diese Arbeit getan ist, werden wir auf der Basis des allgemeinen Wahlrechts irgendeinen anständigen Burschen wählen, der die notwendige Muße hat, ein rechtschaffenes und arbeitsames Volk zu regieren).

5,3f. *was die Franzosen begonnen haben:* In der frz. Ausgabe hat Heine hiernach eingefügt: »le grand œuvre de la Révolution: la Démocratie universelle« (das große Werk der Revolution: die allumfassende Demokratie).

5,8–10 *wenn wir den Gott ... Erlöser Gottes werden:* In der frz. Ausgabe lautet diese Stelle: »quand nous aurons chassé la misère de la surface de la terre« (wenn wir das Elend von der Oberfläche der Erde vertrieben haben werden).

5,19 *Patriotismus:* (griech./lat.) Vaterlandsliebe.

5,20 *in einem nächsten Buche:* Seit Mai 1844 arbeitete Heine an den fragmentarisch hinterlassenen ›Briefen über Deutschland‹, die urspr. als Ergänzung zum »Wintermärchen« gedacht waren und später teilweise in die »Geständnisse« (1854) eingearbeitet wurden.

5,22 *Loyalität:* von frz. loyal ›regierungstreu, anständig, redlich‹.

5,29 *Scheelsucht:* umgspr. für: Neid, Mißgunst; vgl. die Redensart: jmdn. mit scheelen Augen ansehen.

5,32 *anarchische:* (griech.) gesetzlose, ungeordnete.

5,36–6,1 *Schufterle ... an der Spitze einer ... Bande von literarischen Strauchdieben:* Wie sich aus Briefen Friedrich Hebbels und Felix Bambergs ergibt, gilt die bissige Anspielung Karl Gutzkow (1811–78), der – an der Spitze einer Gruppe der Jungdeutschen stehend – Heine seit 1838 heftig befehdete. Hebbel schreibt am 19. 6. 1844 an Elise Lensing: »Heine [...] ergoß sich in guten Einfällen über Gutzkow, den er über alle Maaßen, und mehr als der Wicht seiner Potenz nach verdient, zu hassen scheint. Glauben Sie mir, sagte er, der Mensch wird nicht wiedergeboren [...], er ist der Abtritt der Natur! Und eigentlich, setzte er hinzu, hat ihn gar nicht die Natur gemacht, sondern Schiller hat ihn auf dem Gewissen; er ist der Schufterle aus den Räubern.« Bamberg teilt Hebbel am 3. 12. 1844 mit, Heine habe ihm die im »Vorwärts« abgedruckte Vorrede zum »Wintermärchen« gezeigt, »in welcher er Gutzkow, Anführer einer Bande von Strauchdieben nennt« (vgl. »Begegnungen mit Heine«, Bd. 1, S. 552 und 565).

6,10f. *überwachenden Behörden ... Ausmerzungen:* Vgl. Kap. III.

Strophenbau

Die im »Wintermärchen« verwendete Strophenform gehört zu den in der volkstümlichen deutschen Lyrik (Volkslied und -ballade) am meisten verbreiteten. Zahlreiche Beispiele finden sich in der 1805 bis 1808 von Achim von Arnim und Clemens Brentano herausgegebenen Sammlung »Des Knaben Wunderhorn«, die Heine im dritten Band der »Romantischen Schule« (1835) überschwenglich lobt. Besonders gefallen hat ihm das »Wunderhorn«-Lied »Der arme Schwartenhals«, das er ganz zitiert (HSS III,450f.); die ersten beiden Strophen lauten:

Ich kám vor éiner Frau Wírtin Háus,
Man frágt mich, wér ich wâre?
Ich bin ein armer Schwartenhals,
Ich eß und trink so gerne.

Man führt mich in die Stuben ein,
Da bot man mir zu trinken,
Die Augen ließ ich umher gehn,
Den Becher ließ ich sinken.

In diesem Lied wie in der »Wintermärchen«-Strophe haben Vers 1 und 3 jeweils vier, Vers 2 und 4, die durch Reim gebunden sind, je drei Hebungen (betonte Silben); der Versausgang (die Kadenz) ist abwechselnd männlich (Háus) und weiblich (wâre). Die dem Volkslied eigenen metrischen Freiheiten hat Heine übernommen: Die Senkungen sind frei ge-

füllt (1 oder 2 unbetonte Silben); der Auftakt, in der Regel eine unbetonte Silbe, ist mitunter zweisilbig oder fehlt.
Die Absichtlichkeit in der Verwendung ›unreiner Reime‹ und ungewöhnlicher Reimbindungen, holpernder Verse, gewagter Zeilen- und Strophenenjambements (z.B. Cap. XVII,39–43) wie dilettantisch-unbeholfen wirkender syntaktischer Fügungen ist durch eine Äußerung des Dichters im Vorrede-Entwurf zur französischen Prosaausgabe des »Wintermärchens« (1855) belegt: »Dieses Wintermärchen mußte den glänzendsten Teil seines Zaubers dadurch verlieren, daß die Wirkungen einer äußerst melodiösen und possenhaften Verskunst, ihre spaßhaften Reime und burlesken Wortspiele [...] beschnitten wurden; es bleibt jedoch genug übrig, den aufmerksamen Leser die Intentionen des Autors erraten zu lassen« (Übers. nach HSS IV,1046). Julius Campe schreibt am 25. 10. 1844 an Heine: »Die Esel von Kritikern oder halb Wissern, wagen auszusprechen (wie die Augsburger Allgemeine) daß Sie Formfehler im Versbau Sich zuschulden kommen ließen. Die Esel merken nicht, daß dieses Kunststückchen sind! die Ihnen keiner nachmachen kann« (HSA XXVI,116).

Caput I

1–4 *Im ... November ... nach Deutschland:* In Wirklichkeit verließ Heine Paris am 21. 10. 1843 und erreichte Hamburg – über Brüssel und Bremen reisend – am 29. Oktober.

8 *begunnen:* Die Verwendung der älteren Form des Plur. Prät. (mhd. begunden, begunnen) bewirkt ironische Brechung.

21 *Jammertal:* geflügeltes Wort nach Ps. 84,7 (lat. vallis lacrimarum ›Tal der Tränen‹).

35f. *auf Erden schon / Das Himmelreich errichten:* Im »Nouveau Christianisme« (1825) des frz. Sozialtheoretikers Claude Henry Saint-Simon (1760–1825), dessen Lehren für Heines Anschauungen bedeutsam wurden, heißt es: »Le véritable Christianisme droit rendre les hommes heureux, non seulement dans le ciel, mais sur la terre« (»Œuvres de Saint-Simon et d'Enfantin«, Neudruck Aalen 1963, Bd. 23, S. 148). Für die Wendung ›Himmel auf Erden‹ bietet John Miltons »Paradise lost« (1667) den ältesten literarischen Beleg (»a heaven on earth«).

39f. *faule Bauch ... fleißige Hände:* bildhaft für Obrigkeit (König, Adel) und Untertanen (Bauern, Handwerker). Heine spielt wohl auf das häufig bearbeitete, zuerst von dem röm. Geschichtsschreiber Titus Livius überlieferte Gleichnis ›Vom Magen und den (gegen ihn revoltierenden) Gliedern‹ an, dessen systemstabilisierende Funktion das Epimythion (die ›moralische Nutzanwendung‹) einer Versfabel Daniel Wilhelm Trillers (1695–1782) verdeutlicht:

So müssen auch der Obrigkeit
Die Unterthanen alle dienen;
Weil sie dafür hinwieder ihnen
Schutz, Unterhalt und Ruh verleiht.
Der Magen lebt zwar durch die Glieder;
Doch er ernährt und stärkt sie wieder.

(Zitiert nach: »Fabeln, Parabeln und Gleichnisse«, hrsg. von Reinhard Dithmar, München 1970, S. 156; vgl. die ebd. S. 101–103, 106f., 125f. und 150f. abgedruckten Bearbeitungen.)

43 *Rosen und Myrten:* Bildchiffren, die Heine selbst auflöst (*Schönheit und Lust*); Blumen des Brautpaars (u.a. im jüdischen Brauchtum).

44 *Zuckererbsen:* wohlschmeckende Erbsenart, die mit der Schote genossen wird. Vielfach gilt die Erbse als Fruchtbarkeitssymbol (daher Verwendung in Hochzeitsbräuchen).

55 *Miserere:* (lat.) erbarme dich; Anfangswort und zugleich Bezeichnung des 51. Psalms, der häufig vertont wurde und in der Totenmesse gesungen wird.

65 *Hochzeitkarmen:* lat. carmen ›Gedicht, Lied, Gesang‹.

72 *Ich könnte Eichen zerbrechen:* In der frz. Ausgabe ver-

deutlicht: »je pourrais briser les chênes séculaires de la vieille Allemagne« (ich könnte die hundertjährigen Eichen des alten Deutschland zerbrechen). 1832/33 schrieb Heine: »Das Deutschland der Vergangenheit mochte immerhin einen solchen Baum zu seinem Symbol wählen. Das neue Deutschland bedarf eines besseren Symbols« (HSS V,55).

75f. *Der Riese ... neu die Kräfte:* Anspielung auf die griech. Sage vom Riesen Antäus, einem Sohn der Erde, dessen Kräfte sich immer erneuerten, wenn er den Boden berührte. Am 29. 12. 1843 schreibt Heine an Campe: »Hab auch auf meiner Reise mancherley Verse gemacht, die mir mit größerer Leichtigkeit gelingen, wenn ich deutsche Luft athme« (HSA XXII,91).

Caput II

3 *preußischen Douaniers:* preuß. Zollbeamte; die Rheinprovinz (mit Trier, Köln und Aachen) gehörte seit der territorialen Neuordnung durch den Wiener Kongreß (1814/15) zu Preußen.

4 *visitieret:* (frz.) durchsucht.

7 *Bijouterien:* (frz.) Geschmeide, Schmuckwaren.

11 *Contrebande:* (frz.) Schmuggelware.

13 *Spitzen:* Heine nutzt wortspielerisch den Doppelsinn des Wortes: gehäkelte oder geklöppelte Textilien / aufreizende, kränkende Anspielungen, Sticheleien (vgl. V. 16 *sticheln*).

14 *Brüssel und Mecheln:* Beide belg. Städte sind Zentren der Textilindustrie.

16 *hecheln:* Die ›Hechel‹ ist ein Gerät mit scharfen Drahtspitzen zum Durchziehen und Reinigen des Flachses; ›jmdn. durch die Hechel ziehen‹ oder ›hecheln‹ erhielt die übertragene Bedeutung: über jmdn. (in dessen Abwesenheit) klatschen, jmdn. mit spitzen Reden verhöhnen.

24 *konfiszierlichen:* scherzhafte Adjektivbildung zu (frz.) ›konfiszieren‹, gerichtlich einziehen, beschlagnahmen.

27 f. *gefährlicher noch als die / Von Hoffmann von Fallersleben:* August Heinrich Hoffmann von Fallersleben (1798–1874), seit 1830 Professor für dt. Sprache und Literatur in Breslau, wurde nach dem Erscheinen seiner »Unpolitischen Lieder« (1840/41) seines Amtes enthoben. Diese Publikation veranlaßte zudem (zusammen mit Franz Dingelstedts »Liedern eines kosmopolitischen Nachtwächters«, ersch. Nov. 1841) die preuß. Regierung im Dezember 1841, alle Druck-Erzeugnisse des Verlages Hoffmann und Campe für Preußen zu verbieten (aufgehoben Mai 1842). Im Brief vom 28. 2. 1842, den Heine aus diesem Anlaß an seinen Verleger schreibt, heißt es: »Die Gedichte von Hoffmann v. Fallersleben, die Ihnen zunächst diese Noth eingebrockt, sind spottschlecht, und vom ästhetischen Standpunkte aus hatte die preußische Regierung ganz recht darüber ungehalten zu seyn: schlechte Späßchen um Philister zu amüsiren bey Bier und Taback« (HSA XXII,19).

31 f. *Zollverein ... Douanenkette:* Handelspolitische Einigung dt. Bundesstaaten unter Führung Preußens (Abbau der zahlreichen Binnenzölle; in Kraft seit dem 1. 1. 1834); frz. douane ›Zoll(verwaltung)‹. – Der wenige Zeilen zuvor genannte Hoffmann von Fallersleben hat den Zollverein in einem Gedicht gefeiert, dessen Schluß lautet: »Denn ihr habt ein Band gewunden / Um das deutsche Vaterland. / Und die Herzen hat verbunden / Mehr als unser Bund dies Band« (»Unpolitische Lieder«, T. 1, Hamburg 1840, S. 46; vgl. dazu V. 33–36).

Caput III

2 *Carolus Magnus:* Karl der Große, König der Franken (768–814), seit 800 röm. Kaiser; im Aachener Münster beigesetzt.

3 f. *nicht verwechseln mit Karl / Mayer:* Heine greift hier einen Scherz aus seinem »Schwabenspiegel« (1838) auf: »Herr Karl Mayer [1786–1870], welcher auf Latein Caro-

lus Magnus heißt, ist ein anderer Dichter der schwäbischen Schule und man versichert, daß er den Geist und den Charakter derselben am treuesten offenbare; er ist eine matte Fliege und besingt Maikäfer« (HSS V,60).

8 *Stukkert:* schwäb. für ›Stuttgart‹.

19f. *Das Rot bedeutet ... / Sang Körner:* Anspielung auf die vierte Strophe von Theodor Körners »Lied der schwarzen Jäger. 1813«: »Noch trauern wir im schwarzen Rächerkleide / Um den gestorbnen Mut; / Doch fragt man euch, was dieses Rot bedeute: / Das deutet Frankenblut.«

29 *die Fuchtel:* Fechtdegen mit stumpfer, breiter Klinge. Schläge mit der Fuchtel waren im preuß. Heer bis 1806 eine oft angewendete Strafe; ›jmdn. unter die Fuchtel nehmen‹ erhielt die übertragene Bedeutung: jmdn. in strenge Zucht nehmen.

32 *das alte Er:* Bis Ende des 18. Jh.s war ›Er‹ die gebräuchliche Anredeform für Personen ›niederen‹ Standes; von Offizieren gegenüber ›gemeinen‹ Soldaten benutzt.

35 *Zopf:* 1713 im preuß. Heer eingeführt, während der Napoleonischen Kriege abgeschafft.

37 *das neue Kostüm:* Friedrich Wilhelm IV. (1840–61) hatte 1842/43 für das preuß. Heer eine neue Uniform und die *Pickelhaube* (Lederhelm mit Metallbeschlag und -spitze) eingeführt.

38 *Reuter:* altertümelnd statt ›Reiter‹.

43 *Johanna von Montfaucon:* Titelfigur eines 1800 erschienenen, im Untertitel als »romantisches Gemälde aus dem 14. Jahrhundert« charakterisierten Schauspiels von August von Kotzebue (1761–1819).

44 *Fouqué, Uhland, Tieck:* Die Dichter Friedrich de la Motte-Fouqué (1777–1843), Ludwig Uhland (1787–1862) und Ludwig Tieck (1773–1853) zählte Heine zu jenen Vertretern der ›Romantischen Schule‹, die es »bewogen hatte, aus der Gegenwart in die Vergangenheit zurückzuflüchten und die Restauration des Mittelalters zu befördern« (HSS III,473). – Den Reim *Romántik – Uhlánd,*

Tieck übernahm Heine aus einem an ihn selbst gerichteten Sonett von Johann Baptist Rousseau (»Gedichte«, Krefeld 1823; von Heine rezensiert, vgl. HSS I,425–428).

49 *Turnei:* altertümelnd statt ›Turnier‹.

54–56 *allerhöchstem Witze ... Spitze:* »Durch die raffiniert benutzte Doppelbedeutung der Wörter ›Pointe‹ (a: Spitze – b: Pointe eines Witzes), ›königlich‹ (a: wörtlich zu nehmen – b: soviel wie ›unübertrefflich‹) und ›allerhöchst‹ (a: Superlativ von hoch – b: Attribut des Monarchen) wird gleichzeitig die Neigung des Königs, geistreich zu erscheinen, mit verhöhnt« (Kaufmann, »Politisches Gedicht«, S. 136).

62 *den Vogel:* »Der königl. Preuß. Adler« (so zunächst in der Reinschrift; vgl. Kap. II).

72 *Die rheinischen Vogelschützen:* die Mitglieder der Schützengesellschaften, die auf einen hölzernen Vogel schießen, um ihren ›König‹ zu ermitteln. – Die kath. Rheinlande waren – zumal nach den »Kölner Wirren«, einer Auseinandersetzung zwischen dem preuß. Staat und dem Kölner Erzbischof Droste zu Vischering (abgesetzt 1837) – das Zentrum der Opposition gegen Preußen.

Caput IV

21 *Klerisei:* Klerus, kath. Priesterschaft.

23 f. *die Dunkelmänner ... / Die Ulrich von Hutten beschrieben:* Gemeint sind die Kölner Dominikaner, die um 1510 den (die Vernichtung aller nichtbiblischen hebräischen Bücher fordernden) getauften Juden Johannes Pfefferkorn (1469–1524) in der Auseinandersetzung mit dem Humanisten Johannes Reuchlin (1455–1522) unterstützten. Die Bezeichnung *Dunkelmänner* nach den anonym erschienenen satirischen »Epistolae obscurorum virorum« (»Dunkelmännerbriefe«, 1515–17), in denen die Kölner Theologen verspottet werden und deren Mitverfasser *Ulrich von Hutten* (1488–1523) ist. In seiner Schrift »Zur Geschichte der Religion und Philosophie in Deutschland«

(1835) führt Heine aus: »[...] man ging damit um, alle hebräischen Bücher zu vernichten, und am Rhein begann die Bücherverfolgung, wogegen unser vortrefflicher Doktor Reuchlin so glorreich gekämpft hat. Die Kölner Theologen, die damals agierten, besonders Hochstraaten, waren keineswegs so geistesbeschränkt, wie der tapfere Mitkämpfer Reuchlins, Ritter Ulrich von Hutten sie in seinen ›litteris obscurorum virorum‹ schildert. Es galt die Unterdrückung der hebräischen Sprache. Als Reuchlin siegte, konnte Luther sein Werk beginnen« (HSS III,545; vgl. HSS VI/1,484).

25 *Cancan:* 1830–40 in Paris als ›Quadrille parisienne‹ bekannt gewordener, häufig als unzüchtig getadelter Tanz.

27 *Hochstraaten:* der Kölner Dominikaner Jakob van Hoogstraeten (um 1460 bis 1527), der seit 1510 als Inquisitor (Ketzerrichter) für Köln, Mainz und Trier wirkte. Seine *gift'gen Denunziatiönchen* (von lat. denuntiare ›kundtun, erklären‹) richtete er nach Rom, zur Beförderung des Ketzerprozesses gegen Reuchlin, dessen gegen Pfefferkorn gerichtete Schrift »Augenspiegel« (1511) er in Köln verbrennen ließ. Auch die »Dunkelmännerbriefe« (s. Anm. zu V. 23f.), die Hoogstraeten bes. angriffen, wurden auf Drängen der Dominikaner von Papst Leo X. (1513–21) zum Feuer verurteilt (vgl. V. 29f.).

Menzel: der Literaturhistoriker Wolfgang Menzel (1798–1873); »in seinen Kapuzinaden [Strafreden] gegen das Junge Deutschland ging er so weit, daß er auf unsere verruchten Häupter alle Flammen des Himmels und in Ermangelung derselben die Polizeiblitze der verschiedenen Bundesstaaten auf uns herabbeschwor«, schreibt Heine 1844, auf den Beschluß des Bundestages vom 10. 12. 1835 gegen das Junge Deutschland anspielend (HSS V, 201).

32 *Kyrie eleison:* (griech.) Bittruf im Gottesdienst: »Herr erbarme dich!«

36 *Glaubenshasse:* Auf François Willes Rat statt »Judenhasse« (vgl. Kap. III).

Kölner Dombaufeier 1842. Kölnisches Stadtmuseum. Graphische Sammlung

41 *Bastille:* Burg in Paris, die seit dem 17. Jh. als Staatsgefängnis diente.
42 *Römlinge:* abfällig für ›kath. Klerus‹.
52 *protestantischer:* In der frz. Ausgabe ersetzt durch »émancipatrice« (befreiend).
53 *Schelme vom Domverein:* Die 1248 begonnene Arbeit am Kölner Dom ruhte seit der Reformation (vgl. V. 45–48). Nachdem Joseph Görres, die Brüder Sulpiz und Melchior Boisserée und Freiherr vom Stein das Interesse an der Fortführung des Baus geweckt hatten, konstituierte sich im Februar 1842 der Zentrale Dombauverein, dessen Protektorat König Friedrich Wilhelm IV. übernahm. Er bestimmte 50 000 Taler aus Staatsmitteln jährlich für den Weiterbau; etwa die gleiche Summe sollte durch Spendensammlungen gewonnen werden. Heine unterzeichnete einen vom 6. 3. 1842 datierten Aufruf zur Bildung eines Hilfsvereins und wurde Vizepräsident der am 22. Juni gegründeten Pariser Filiale des Dombauvereins.
61 f. *Franz Liszt … musizieren:* Der Komponist und Pianist Franz Liszt (1811–86) gab am 13. 9. 1842 in Köln ein Fest- und Förderkonzert zugunsten der Dombaukasse.
63 f. *talentvoller König … deklamieren:* Am Tag der zweiten Grundsteinlegung (4. 9. 1842) hielt Friedrich Wilhelm IV. eine Festansprache, in der er den »Geist deutscher Einigkeit und Kraft« beschwor (vgl. Kap. V).
66–68 *Narren in Schwaben … Steine gesendet:* Die Stuttgarter Zweigstelle des Dombauvereins schickte von Heilbronn aus eine Schiffsladung Steine für den Bau eines Schwaben zugekehrten Domfensters.
70 *Der Raben und der Eulen:* Chiffren für die reaktionären Kräfte der Zeit; in einer handschriftlichen Vorstufe findet sich an dieser Stelle der Name des politischen Publizisten Jakob Venedey (vgl. Kap. V sowie das auf Venedey gemünzte Gedicht »Kobes I.«, HSS VI/1,233–238).
75 f. *zu einem Stall … verwenden:* Nach der Eroberung der Lombardei (1796/97) und während der Napoleoni-

schen Besetzung der Rheinlande hatten frz. Truppen häufig Kirchen als Pferdeställe benutzt (vgl. z.B. »Storia di Milano«, Bd. 13: »L'età napoleonica. 1796–1814«, o.O. 1959, S. 480f.).

79 *Heil'gen Drei Kön'gen:* Der Kölner Erzbischof Rainald von Dassel brachte 1164 aus Mailand Reliquien mit, die man für die Gebeine der Heiligen Drei Könige hielt. Etwa 20 Jahre später wurde der berühmte Dreikönigsschrein geschaffen; seither ist die Rheinmetropole das »Hillige Köllen« (vgl. V. 20).

80 *Tabernakel:* von lat. tabernaculum ›Zelt‹; das Sakramentshäuschen, auch »das ähnlich gestaltete Behältniß, in welchem die Reliquien und Heiligthümer« aufbewahrt werden (Brockhaus IV, 1841, S. 352).

86–88 *jene drei Körbe ... Sankt Lamberti:* Die drei eisernen Käfige, in denen im Januar 1536 die gräßlich geschundenen Leichen der öffentlich hingerichteten Wiedertäufer-Führer Jan van Leiden, Bernd Knipperdollinck und Bernhard Krechtinck zur Schau gestellt wurden, sind noch heute am Turm der Lamberti-Kirche in Münster zu sehen. Auf der Hinfahrt nach Hamburg und der Rückreise nach Paris hielt sich Heine jeweils kurz in Münster auf (27. 10. bzw. 11. 12. 1843).

89 *Triumvirat:* (lat.) Dreimännerkollegium.

Caput V

2 *Hafenschanze:* Hafenbefestigung.

3 *Vater Rhein:* Personifikation in Anlehnung an antike Vorbilder (›Nilus pater‹, ›Tiberinus pater‹). Wie u.a. Ovid bezeugt, wurden Bilder des ›Deus Rheni‹ schon bei den Triumphzügen im alten Rom mitgeführt. Die dt. Formung des Sinnbildes geht auf den Humanismus zurück. Die urspr. Bedeutung (Flußgott) wandelte sich zu ›Vater der Flüsse‹ und ›Vater der Lebens- und Geistesgüter‹; im frühen 19. Jh. gewann der Vater Rhein den Rang eines Schutzgeistes und wurde zum vaterländischen Symbol.

Vgl. Lothar Kempter, »›Vater Rhein‹. Zur Geschichte eines Sinnbildes«, Hölderlin-Jahrbuch 1975–1977, S. 1–35).

12 *Brümmeln:* Nebenform zu ›brummeln‹, leise brummen, undeutlich sprechen.

17 *Zu Biberich ... Steine verschluckt:* Anspielung auf einen Verkehrskonflikt zwischen dem Herzogtum Nassau und dem Großherzogtum Hessen(-Darmstadt). Die nassauische Regierung hatte zu Biebrich (bei Wiesbaden) einen Freihafen errichtet, um den Rheinverkehr des Mainzer Hafens an sich zu ziehen. Als Proteste nichts nutzten, ließ in der Nacht des 28. 2. 1841 der hessische Staatsminister du Thil 103 Schiffsladungen Steine in den Rheinarm zwischen der Insel Petersau und dem rechten Rheinufer löschen und einige Schiffe mitsamt der Ladungen versenken, so daß die Biebricher Hafeneinfahrt blockiert wurde (vgl. Heinrich von Treitschke, »Deutsche Geschichte im 19. Jahrhundert«, T. 5, Leipzig 1894, S. 107f.).

20 *Die Verse von Niklas Becker:* Das 1840 veröffentlichte Lied »Der deutsche Rhein« (vgl. Kap. V) des bis dahin völlig unbekannten Gerichtsschreibers Nikolaus Becker (1809–45) war Ausdruck der nationalen Empörung, die durch kriegerische Töne in der frz. Presse und vor allem durch Verlautbarungen über Absichten der Regierung Thiers, den Rhein zum dt.-frz. Grenzfluß zu machen, entfacht worden war. Beckers Lied, das nicht weniger als 150 Komponisten (darunter Robert Schumann) vertonten, löste eine ›poetische Rheindiskussion‹ aus, an der sich auf frz. Seite Alphonse de Lamartine und Alfred de Musset (s. Anm. zu V. 49), auf dt. u. a. E. M. Arndt, Georg Herwegh, Hoffmann von Fallersleben, Robert Prutz und Max Schneckenburger beteiligten.

24 *Kränzlein ihrer Ehre:* Gemeint ist der ›Jungfernkranz‹, früher »zeichen und zier der reinen jungfrauschaft« (Grimm V,2502).

30–32 *Die Franzosen ... Siegergewässer:* Anspielung auf die Besetzung des linken Rheinufers durch die frz. Revolutionsheere (1792) und die Eroberung der Rheinlande durch Napoleon, unter dessen Protektorat 1806 der Rheinbund gegründet wurde. Vgl. Mussets »Réponse« (abgedruckt in Kap. V).

36 *kompromittieret:* ins Gerede, in Verruf gebracht (von frz. compromettre).

44 *weiße Höschen:* Die bis dahin zur Uniform der frz. Infanterie gehörenden ›weißen Hosen‹ hatte König Louis Philippe (1830–48) zu Beginn seiner Regierungszeit durch ›rote‹ ersetzen lassen (vgl. V. 61).

46 *Persiflage:* Verspottung, bes. durch boshaft übertreibende Nachahmung (zu frz. persifler ›höhnen, spötteln‹).

49 *Alfred de Müsset, der Gassenbub:* Der frz. Dichter Alfred de Musset (1810–57) veröffentlichte am 6. 6. 1841 in der »Revue de Paris« und in der »Presse« eine parodistische »Réponse à la chanson de Becker« (vgl. Kap. V). – Die Schreibung *Müsset* absichtlich, entspr. der frz. Aussprache. Den Spitznamen »Gamin« (›Gassenjunge‹, vgl. V. 74) hatte die Schriftstellerin George Sand (1804–76) ihrem »Herzensfreund« Musset gegeben.

63 f. *Sie singen ... die Köpfe:* Nach der Julirevolution von 1830 war in Frankreich durch das Zensuswahlrecht, nach dem der Umfang des Besitzes oder Einkommens für die politischen Rechte des Bürgers maßgeblich ist, das Großbürgertum zur herrschenden Schicht geworden; der »Bürgerkönig« Louis Philippe gab nach liberalen Anfängen seiner Politik bald eine streng konservative Richtung.

66 *Kant ... Fischte ... Hegel:* Die drei wichtigsten Vertreter des dt. Idealismus, Immanuel Kant (1724–1804), Johann Gottlieb Fichte (1762–1814) und Georg Wilhelm Friedrich Hegel (1770–1831), wurden in Frankreich vor allem durch die Vermittlung und Interpretation Victor Cousins (1792–1867) bekannt (vgl. HSS III,498–504; V, 511–513). – Die Schreibung *Fischte* verwendet Heine absichtlich (Randvermerk in der Reinschrift: »Fischte nicht Fichte«), um die frz. Aussprache wiederzugeben.

69 *Philister:* Der aus dem Alten Testament übernommene Volksname bezeichnet in der Studentensprache den ins

bürgerliche Leben (›Philisterium‹) eingetretenen einstigen Studenten; danach: kleinlicher, engherziger, spießerhafter Mensch.

71 *Voltairianer:* Anhänger Voltaires (1694–1778), des berühmtesten frz. Aufklärungsschriftstellers und -philosophen, der radikale Kritik an den bestehenden Autoritäten im absolutistischen Frankreich geübt hatte und so zu einem der wichtigsten geistigen Wegbereiter der Französischen Revolution geworden war.

72 *Hengstenberger:* Anhänger des evang. Theologieprofessors Ernst Wilhelm Hengstenberg (1802–69), der für eine Rückkehr zum altprotestantischen Dogma eintrat. Hengstenberg hatte in der von ihm selbst begründeten »Evangelischen Kirchen-Zeitung« Heine scharf angegriffen und dessen Schriften »teuflische Lästerung«, »schmutzigen Spaß« und »läppischen Aberwitz« attestiert (August 1835; vgl. HSS VI/2,386).

79f. *was ihm passiert / Bei schönen Frauenzimmern:* wohl Anspielung auf die 4. Strophe von Mussets »Réponse« (vgl. Kap. V), möglicherweise jedoch auch auf eine Liebesaffäre Mussets mit der ital. Prinzessin Christina Belgiojoso (vgl. HSS IV,1035f.).

Caput VI

1 *Paganini:* Niccolò Paganini (1782–1840), berühmter ital. Geigenvirtuose.

2 *Spiritus familiaris:* (lat.) dienstbarer Hausgeist, treuer Freund oder Diener des Hauses.

4 *Georg Harrys:* Schriftsteller aus Hannover (1780–1838), Paganinis Sekretär und Reisebegleiter. – Heine greift V. 1–4 einen Scherz aus den »Florentinischen Nächten« (1836) auf: »Das Volk weiß nicht, daß der Teufel dem Herrn Georg Harrys bloß seine Gestalt abgeborgt hat und daß die arme Seele dieses armen Menschen unterdessen, neben anderem Lumpenkram, in einem Kasten zu Hannover solange eingesperrt sitzt, bis der Teufel ihr wieder ihr

Fleisch-Enveloppe zurückgibt und er vielleicht seinen Meister Paganini in einer würdigeren Gestalt, nämlich als schwarzer Pudel, durch die Welt begleiten wird« (HSS I, 576f.).

5 *Napoleon sah einen roten Mann:* Anspielung auf eine von Heine schon in den »Französischen Zuständen« (HSS III,110) erwähnte Anekdote, die Honoré de Balzac (1799–1850) in seinem Roman »Le Médecin de Campagne« (1833) von einem Veteranen der Napoleonischen Armee erzählen läßt: »Dieser ›rote Mann‹, müßt ihr wissen, war so seine besondere Idee, er war eine Art Bote, der ihm diente, um ihn, wie viele sagen, mit seinem Stern in Verbindung zu setzen. Daran habe ich aber nie geglaubt. Der ›rote Mann‹ selbst hat jedoch richtig existiert, und Napoleon hat selbst von ihm gesprochen und hat gesagt, daß er in schweren Augenblicken zu ihm käme und in den Tuilerien bei ihm bleibe« (Balzac, »Der Landarzt«, Berlin [1923], S. 231).

7 *Sokrates hatte seinen Dämon:* ›daimonion‹ nannte der griech. Philosoph Sokrates (469–399 v. Chr.) eine ›innere Stimme‹, die ihn warnte, wenn er im Begriff stand, etwas Unrechtes zu tun.

47 *exorziere:* ›Exorzismus‹ (griech., ›Beschwörung‹) bezeichnet das Austreiben von Dämonen aus dem menschlichen Körper mit Hilfe einer magischen Formel.

48 *emphatisch:* (griech.) mit Nachdruck, eindringlich.

50/52 *Strohwisch / philosophisch:* Der witzige Reim ist wahrscheinlich durch das (Heine bekannte – vgl. HSS III, 679) Lustspiel »Scherz, Satire, Ironie und tiefere Bedeutung« (1826) von Christian Dietrich Grabbe angeregt (III, 1): »Philosophisch heißt es, mein Lieber, philosophisch! Die Etymologen leiten es von ›viele Strohwisch‹ ab.«

51 *Rhetorik:* (griech.) Redekunst.

61 *Büttel:* Gerichtsdiener, Häscher.

65–67 *Dem Konsul … Liktor:* Den höchsten Beamten im antiken Rom (Konsuln) trugen Amtsdiener (Liktoren) Rutenbündel mit Beil (fasces) voran, als Zeichen der Gewalt über Leben und Tod.

72 *Die Tat von deinem Gedanken:* In seiner »Geschichte der Religion und Philosophie in Deutschland« (1835) schreibt Heine: »Dieses merkt Euch, Ihr stolzen Männer der Tat. Ihr seid nichts als unbewußte Handlanger der Gedankenmänner, die oft in demütigster Stille Euch all Eur Tun aufs Bestimmteste vorgezeichnet haben. Maximilian Robespierre war nichts als die Hand von Jean Jacques Rousseau [...]« (HSS III,593).

Caput VII

6 *Pfühles:* ›Pfühl‹ (nach lat. pulvinus ›Polster, Kissen‹) ist ein mit Federn gefülltes Ruhekissen; auch für ›Bett, Lager‹ verwendet. – Heine greift in dieser Strophe einen Topos der Exildichtung auf.

8 *des Exiles:* lat. exsilium ›Verbannung, Verbannungsort‹.

25 *Hegemonie:* (griech.) Vorherrschaft.

43f. *die Haustürpfosten ... Blut:* In Anlehnung an das alttestamentarische Ritual (2. Mose 12,7 und 13); dort ist das Lammblut indes ein Schutzzeichen.

63 *Ampeln:* Öllampen; von lat. ampulla ›kleine Flasche‹; mhd. ampulle, ampel ›Gefäß, (Öl-)Lampe‹.

72 *Drei-Königs-Kapelle:* s. Anm. zu IV,79.

76 *Sarkophagen:* (griech.) steinerne (Prunk-)Särge.

103 *Und weicht ihr ... Gewalt:* In Anlehnung an die Worte des Erlkönigs in Goethes Ballade (1782): »Und bist du nicht willig, so brauch ich Gewalt.«

104 *mit Kolben lausen:* redensartl. für: »mit dem knüppel traktieren, vernünftig machen« (Grimm V,1603).

110–115 *Zerschmetterte ... Skelette ... meiner Brust:* möglicherweise in Anlehnung an Joh. 19,32–37.

Caput VIII

3 *Diligence:* (frz.) Eile; danach Bezeichnung für die geschlossene Eilpostkutsche.

4 *Beischais':* Wagen zur Personenbeförderung, der die Diligence meist begleitete (aus: dt. Bei- + frz. chaise).

16 *Äpfel der Atalante:* Anspielung auf eine griech. Sage: Atalante verlangt von ihren Freiern, sie im Wettlauf zu besiegen, und tötet die Unterliegenden. Hippomenes läßt auf den Rat der Liebesgöttin Aphrodite drei goldne Äpfel fallen; die bis dahin stets siegreiche Atalante bückt sich danach und unterliegt.

17 *Mülheim:* Gemeint ist das heutige Köln-Mülheim.

20–24 *Des Jahres einunddreißig ... Menschen hofften:* Die Auswirkungen der Pariser Julirevolution (1830) führten in Deutschland zu einer Neubelebung der liberalen Bewegung. In Braunschweig wurde Herzog Karl II. (1823–30) vertrieben und eine neue Verfassung geschaffen; auch in Hannover, Kurhessen und Sachsen kamen Verfassungen zustande.

25 *Die magere Ritterschaft:* In der Reinschrift stand zunächst: »die Preußen, das magere Volk«.

28 *langen Flaschen von Eisen:* metaphorische Umschreibung für ›Gewehre‹.

30 *der Fahne, der weiß-blau-roten:* die während der Französischen Revolution eingeführte frz. Nationalflagge; wegen ihrer drei Farben *Trikolore* (V. 43) genannt.

32 *Bonaparte:* Napoleon I. (1769–1821), 1804 bis 1814/15 Kaiser der Franzosen.

33 *die Ritter:* Ersetzt in der Reinschrift gestrichenes »die Preußen«.

34 *Gäuche:* Narren, Toren (mhd. gouch ›Kuckuck, Buhler, Tor‹).

37 *Kanaillen:* (frz.) Schurken, Gesindel.

38 *Liebe, Glauben und Hoffen:* die christl. Kardinaltugenden (vgl. 1. Korinther 13,13).

45–68 *Der Kaiser ... vernommen:* Anspielung auf die Überführung der Leiche Napoleons von der Insel St. Helena nach Paris und die Beisetzung im Invalidendom (15. 12. 1840).

46 *die englischen Würmer:* Die Insel St. Helena, auf der Napoleon zunächst bestattet worden war, befand sich seit 1650 im Besitz der Engländer.

49 *Hab selber sein Leichenbegängnis gesehn:* Vgl. Heines Schilderung in der »Lutetia« (datiert 11. 1. 1841; HSS V, 340f.).

53f. *Elysäischen Feldern ... Triumphes Bogen:* Gemeint sind die parkähnlichen Champs-Elysées in Paris, durch die eine Prachtstraße von der Place de la Concorde bis zum Arc de Triomphe (Triumphbogen) verläuft.

63 *Der imperiale Märchentraum:* (lat./frz.) das ›Imperium‹ (Herrschaft, Reich) betreffend, auch ›kaiserlich‹. Angespielt wird auf Napoleons Vorstellung von einer Einigung des kontinentalen Europa unter frz. Vorherrschaft, nach dem Vorbild Karls des Großen.

68 *Vive l'Empereur!:* (frz.) ›Es lebe der Herrscher!‹

Caput IX

9 *Gestowte:* (niederdt.) gedämpfte, gekochte (vgl. ›Stövchen‹, Kohlenbecken, Wärmevorrichtung).

11 *Stockfische:* durch Trocknen an der Luft (auf Stockgerüsten) haltbar gemachte Fische.

16 *Bücklinge:* die – seit Ende des 15. Jh.s belegte – jüngere Form von ›Bücking‹ (geräucherter Hering).

18 *Krammetsvögel:* Wacholderdrosseln, eine Spezialität der westfälischen Küche.

25 *Gans:* Nach Briegleb (HSS IV,1036) eine Anspielung auf Eduard Gans (1798–1839); führendes Mitglied des Berliner »Vereins für Kultur und Wissenschaft der Juden«, dem auch Heine angehört hatte (vgl. HSS I,779f.).

31 *schöne Seele:* Der – hier in ironischer Absicht verwendete – Begriff bezeichnet in den Dichtungen der Goethezeit die ›innere Schönheit‹ eines Menschen; bekannt wurde er vor allem durch die »Bekenntnisse einer schönen Seele« in Goethes »Wilhelm Meisters Lehrjahre« (1795/1796).

Caput X

12–14 *lieben Brüder ... Göttingen:* Während seines zweiten Aufenthalts in Göttingen (1824/25) war Heine Mitglied der Studentenverbindung »Guestphalia«.

21 *Mensur:* der von einigen studentischen Korporationen (den sog. ›schlagenden Verbindungen‹) durchgeführte Fechtkampf mit blanker Waffe.

24 *Quarten ... Terzen:* Bezeichnungen für bestimmte Fechthiebe.

35f. *bringe er ... / Unter die Haube:* redensartl. für ›verheiraten‹; am Hochzeitstage setzte die Braut früher erstmals die Haube (der verheirateten Frau) auf.

Caput XI

1–12 *Teutoburger Wald ... römisch geworden:* Über die Schlacht im Teutoburger Wald (9 n. Chr.) berichtet der röm. Geschichtsschreiber *Tacitus* (um 55 bis nach 116) im ersten Buch seiner »Annalen«. Die von dem Cheruskerfürsten Arminius (*Hermann*) angeführten germ. Stämme vernichteten in einem unwegsamen Wald- und Sumpfgebiet die unter dem Befehl des *Varus* stehenden röm. Legionen, was die Befreiung des Gebiets zwischen Rhein und Elbe von der röm. Herrschaft zur Folge hatte. Die Lage des von Tacitus als »saltus Teutoburgiensis« bezeichneten Schlachtorts ist umstritten. Der Höhenzug, der heute so genannt wird und auf dem das – ab 1838 von Ernst von Bandel (1800–76) geschaffene – Hermannsdenkmal errichtet wurde (vgl. V. 63), hat seinen Namen erst im 17. Jh. erhalten. Vgl. Wilhelm Gössmann, »Deutsche Nationalität und Freiheit. Die Rezeption der Arminiusgestalt in der Literatur von Tacitus bis Heine«, in: Heine-Jahrbuch 1977, S. 71–95.

15 *Vestalen:* ›Vestalinnen‹ waren die zu strenger Keuschheit verpflichteten Priesterinnen der röm. Göttin Vesta, die das heilige Feuer zu hüten hatten.

16 *Quiriten:* ›Quiris‹ war im antiken Rom die Ehrenbezeichnung des Vollbürgers.
17 *Hengstenberg:* s. Anm. zu V,72.
Haruspex: im antiken Rom der Priester, der aus der Lage der Eingeweide bei Opfertieren weissagte.
19 *Neander:* der evang. Theologe Johann August Wilhelm Neander, eigtl. David Mandel (1789–1850); als Professor für Kirchengeschichte Kollege Hengstenbergs in Berlin; Kollege Raumers (s. Anm. zu V. 25) im preuß. Oberzensurkollegium.
Augur: röm. Priester, der bei wichtigen Staatsangelegenheiten aus bestimmten Vorzeichen (z. B. dem Vogelflug) den Willen der Götter zu erforschen hatte.
21 *Birch-Pfeiffer:* Charlotte Birch-Pfeiffer (1800–68), Schauspielerin und Verfasserin zahlreicher anspruchsloser, aber bühnenwirksamer Rührstücke; von Heine auch in der »Romantischen Schule« verspottet (vgl. Reclams Universal-Bibliothek. 9831 [5]. S. 138 f.).
21–24 *Terpentin ... wohlriechend bekamen:* Gemeint ist das aus dem aromatischen Harz des Terebinthenbaums gewonnene ätherische Öl; es »befördert den Harn also, daß er durch dessen Gebrauch einen lieblichen Geruch überkommet, denn er riechet wie wohlriechende blaue Violen« (Zedlers Universal-Lexicon, Bd. 42, Leipzig/Halle 1744, Sp. 1080). Das heute ›Terpentin‹ genannte ätherische Öl wird aus Kiefernharz gewonnen.
25 *Raumer:* Friedrich von Raumer (1781–1873), Professor für Staatswissenschaft und Geschichte in Berlin, bis 1831 Mitglied des preuß. Oberzensurkollegiums. In der Börne-Denkschrift (1840) heißt es über ihn: »[...] der ist ganz Hund, und wenn er liberal knurrt, täuscht er niemand, und jeder weiß, er ist ein untertäniger Pudel, der niemand beißt. [...] das arme Vieh [...] verlangt nur ein bißchen Wedelfreiheit, und wenn man ihm diese gewährt, so leckt es dankbar die goldenen Sporen der ukkermärkischen Ritterschaft« (HSS IV,64).

26 *Lumpazius:* scherzhafte Latinisierung, wie *Grobianus* (V. 30) und *Maßmanus* (V. 32).

27 *Der Freiligrath dichtete ohne Reim:* Weil die antike lat. Dichtung den (End-)Reim nicht kennt. – Die Reimbildung in den Versdichtungen Ferdinand Freiligraths (1810–76) hat Heine kritisiert: »Vergleiche [...] den Mißbrauch der fremdklingenden Reime bei Freiligrath, Barbarei beständiger Janitscharenmusik – Fabrikantenirrtum – Uneingeweihter in das Geheimnis – keine Naturlaute« (HSS VI/1,647).

28 *Flaccus Horazius:* Horaz (65–8 v. Chr.), einer der Klassiker der antiken lat. Dichtung.

29 *Der grobe Bettler, Vater Jahn:* Friedrich Ludwig Jahn (1778–1852), der – für seine grob-polternde Art bekannte – Begründer der Turn- und Sportbewegung (›Turnvater‹); von Heine mehrfach verspottet, vor allem wegen der nationalistisch-deutschtümelnden Tendenzen der Turnbewegung.

31 *Me hercule!:* (lat.) ›Beim Herkules!‹ (Wahrhaftig!). Die Bekräftigungsformel ist beziehungsreich gewählt. Der wegen seiner Körperkraft berühmte antike Heros war Beschützer der Gymnastik und galt als Stifter der Olympischen Spiele. Da ihn der antike Mythos auch als grob und unbeherrscht darstellt, erscheint er später oft als Komödienfigur des Kraftmeiers.

Maßmann: Hans Ferdinand Maßmann (1797–1874), seit 1842 Organisator des deutschen Turnwesens und Germanist in Berlin. Heine, der ihn während seiner Studienzeit in Göttingen kennenlernte, schreibt in den »Reisebildern« (III,1829): »[...] er allein hat noch das Demagogenkostüm und die dazu gehörigen Redensarten beibehalten; er preist noch immer Arminius den Cherusker und Frau Thusnelda, als sei er ihr blonder Enkel; er bewahrt noch immer seinen germanisch-patriotischen Haß gegen welsches Babeltum [...] und so steht er da als wandelndes Denkmal einer untergegangenen Zeit« (HSS II,323 f.).

32 *Marcus Tullius Maßmanus:* Mit den fingierten Vorna-

men spielt Heine auf den berühmten röm. Redner und Staatsmann Marcus Tullius Cicero (106–43 v. Chr.) an.

33–35 *Die Wahrheitsfreunde ... Arena:* Wie die christl. Märtyrer in der röm. Kaiserzeit, erstmals unter Kaiser *Nero* (V. 37) im Jahr 64.

38 *Landesväter drei Dutzend:* Dem auf dem Wiener Kongreß (1814/15) geschlossenen Deutschen Bund gehörten 1844 34 souveräne Fürsten und 4 Freie Städte an.

39 *Wir schnitten uns die Adern auf:* Anspielung auf den Tod des Philosophen *Seneca* (vgl. V. 41), der sich – von Kaiser Nero der Beteiligung an einer Verschwörung verdächtigt und zum Selbstmord gezwungen – im Jahre 65 n. Chr. auf diese Weise das Leben nahm.

41 *Schelling:* der Philosoph Friedrich Wilhelm Schelling (1775–1854), einer der Hauptvertreter des dt. Idealismus, der im November 1841 als Geheimer Rat in preuß. Dienst getreten war (Berufung nach Berlin durch Friedrich Wilhelm IV.).

43 *Cornelius:* der Maler Peter von Cornelius (1783–1867); 1841 von Düsseldorf (wo ihn Heine kennengelernt hatte) nach Berlin berufen. Vgl. die »Lobgesänge auf König Ludwig« (1844):

Der Schelling und der Cornelius,
Sie mögen von dannen wandern;
Dem einen erlosch im Kopf die Vernunft,
Die Phantasie dem andern. (HSS IV,460).

Cornelius hatte bis 1841 gleichzeitig für Ludwig I. (1825–48) in München gearbeitet.

44 *Cacatum non est pictum:* (lat.) ›Gekackt ist nicht gemalt‹.

63 *Monument:* das Hermannsdenkmal (s. Anm. zu XI,1–12).

64 *Hab selber subskribieret:* Habe mich in die Spendenliste eingetragen, Spendenanteile gezeichnet (von lat. subscribere ›unterzeichnen‹). – Heine hat nicht für das Hermannsdenkmal ›unterschrieben‹, wohl aber 20 Francs für den Kölner Dombau gestiftet (1842).

Das Hermannsdenkmal im Teutoburger Wald, 1838–75 nach einem Entwurf von Ernst von Bandel erbaut. Foto: Landesbildstelle Westfalen, Münster

Caput XII

2 *Chaise:* (frz.) Postkutsche.
15 *Illuminierten:* lat. illuminare ›festlich erleuchten‹.
19 *warf mich ... in Positur:* umgspr., nahm die der Situation angemessene Haltung (Pose) ein (lat. positura).
35 *Schelmen:* Heine ist wohl der ältere, pejorative Sinn des Wortes bewußt: ›Schelm‹ bedeutet im Mhd. ›Bösewicht, durchtriebener Kerl‹.
36 *Zu den Hunden übergegangen:* Anspielung auf Vorwürfe aus dem liberalen Lager, gegen die sich Heine in der Börne-Denkschrift (1840) und erneut in der Vorrede zum »Atta Troll« (1847) zur Wehr setzt: »Die wackern Kämpen für Licht und Wahrheit, die mich der Wankelmütigkeit und des Knechtsinns beschuldigen, gehen unterdessen im Vaterlande sehr sicher umher, als wohlbestallte Staatsdiener« (»Atta Troll. Ein Sommernachtstraum«. Kritisch durchges. Ausg. von Winfried Woesler. Universal-Bibliothek Nr. 2261 [3]. S. 6). – Vgl. Anm. zu XI,25.
37f. *werde bald / Hofrat in der Lämmerhürde:* Wohl Anspielung auf den Dichter Franz Dingelstedt (1814–81), der wegen seines satirischen Romans »Die neuen Argonauten« (1839) aus dem Schuldienst entlassen worden war, später jedoch die literarische Opposition aufgab und 1843 – unter Verleihung des Hofratstitels – Privatsekretär des württembergischen Königs wurde.
41 *Der Schafspelz, den ich umgehängt:* Vgl. das geflügelte Wort vom ›Wolf im Schafspelz‹ (nach Matth. 7,15: »Sehet euch vor vor den falschen Propheten, die in Schafskleidern zu euch kommen, inwendig aber sind sie reißende Wölfe.«).
50 *heulen mit den Wölfen:* Doppeldeutig: entweder bekräftigendes Resümee des vorher Gesagten (bes. V. 47f.) oder im Sinne der sprichwörtl. Redensart ›mit den Wölfen heulen‹ (sich jeder Umgebung anpassen; die Meinung anderer ohne innere Überzeugung übernehmen, um toleriert zu werden). Dafür, daß ersteres beabsichtigt ist, könnte fol-

gende Charakteristik des Altliberalen Karl von Rotteck (1775–1840) in der Börne-Denkschrift (1840) sprechen: »Der ist halb Fuchs, halb Hund, und hüllt sich in ein Wolfsfell [vgl. jedoch V. 41], um mit den Wölfen zu heulen« (HSS IV,64).

51 f. *helft euch ... Gott euch helfen:* Abwandlung des bekannten Sprichworts ›Hilf dir selbst, so hilft dir Gott!‹.

55 f. *Verstümmelt hat Kolb ... »Allgemeinen Zeitung«:* In der seit 1837 von Gustav Kolb (1798–1865) redigierten Augsburger »Allgemeinen Zeitung« hat Heine seine wichtigsten journalistischen Arbeiten veröffentlicht. Im dt. Vorredeentwurf zur frz. Ausgabe der »Lutetia« schreibt er 1855: »Da ich von dem Treusinn und der Redlichkeit jenes innigst geliebten Jugendfreundes und Waffenbruders [...] zu jeder Zeit unbedingt überzeugt war, so konnte ich mir auch wohl manche erschreckliche Nachqual der Umarbeitung und Verballhornung meiner Artikel gefallen lassen« (HSS V,229).

Caput XIII

9 *Sisyphus:* Figur des griech. Mythos; muß in der Unterwelt zur Strafe für seine Verschlagenheit einen Steinbrokken bergan wälzen, der aber immer wieder herunterrollt (danach: Sisyphusarbeit).

10 *Der Danaiden Tonne:* im griech. Mythos das durchlöcherte Faß, das die Töchter des Danaos mit Wasser füllen müssen, weil sie ihre Männer getötet haben.

25 *Malheur:* (frz.) Unglück (eigtl. ›schlechte Stunde‹).

27–32 *ein Buch ... Gekreuzigtwerden:* Vgl. Heines Denkschrift »Ludwig Börne«: »Wenn jetzt ein Heiland aufsteht, braucht er sich nicht mehr kreuzigen zu lassen, um seine Lehre eindrücklich zu veröffentlichen ... er läßt sie ruhig drucken, und annunziert das Büchlein in der ›Allgemeinen Zeitung‹ mit sechs Kreuzern die Zeile Inserationsgebühr« (HSS IV,45).

34 *deiner Bergpredigt:* Vgl. Matth. 5–7, Luk. 6,20–49. In

den »Reisebildern« (IV,1831) spricht Heine von der »Übereinstimmung in den Ansichten des älteren Bergpredigers« und »jener späteren Bergprediger, die von der Höhe des Konvents zu Paris ein dreifarbiges Evangelium herabpredigten« (HSS II,598); in der »Lutetia« (II,1854) bezeichnet er Christus als »göttlichen Kommunisten« (HSS V,453).

37f. *Geldwechsler ... Tempel:* vgl. Mark. 11,15–17; Joh. 2,13–17.

Caput XIV

5 *des alten Lieds:* In seinen »Memoiren« teilt Heine aus dem Gedächtnis zwei Strophen (möglicherweise einer anderen Fassung) der Mädchenmörderballade mit:

– zuerst spricht der böse Tragig:
»Otilje lieb, Otilje mein,
Du wirst wohl nicht die letzte sein –
Sprich, willst du hängen am hohen Baum?
Oder willst du schwimmen im blauen See?
Oder willst du küssen das blanke Schwert,
Was der liebe Gott beschert?«
Hierauf antwortet Otilje:
»Ich will nicht hängen am hohen Baum,
Ich will nicht schwimmen im blauen See,
Ich will küssen das blanke Schwert,
Was der liebe Gott beschert!«

(HSS VI/1,602; zur Verbreitung der Volksballade bzw. ihrer Hauptmotive vgl. Eberhard Galley, »Das rote Sefchen und ihr Lied von der Otilje«, in: Heine-Jahrbuch 1975, S. 77–92.) Der als *Schlußreim* zitierte, refrainartig wiederholte Vers *Sonne, du klagende Flamme!* erinnert an das Grimmsche Märchen »Die klare Sonne bringts an den Tag« (»Kinder- und Hausmärchen« [KHM] Nr. 115), das Adelbert von Chamissos Gedicht »Die Sonne bringt es an den Tag« (1827) zugrunde liegt. Möglicherweise nimmt Heine jedoch »mit dem Sonnenbild eine aus der Zeit der französischen Revolution geläufige« und in seinem Werk oft begegnende »Freiheits- und Revolutionsmetapher« auf (Würffel, »Heinrich Heines negative Dialektik«, S. 422f.; vgl. XXVII,13–18 sowie bes. HSS III,42).

15 *Feme:* von mnd. veime ›Strafe‹; aus den fränk. Grafengerichten hervorgegangene, erst Anfang des 19. Jh.s völlig beseitigte ›Femegerichte‹, deren Schöffen einen über ganz Deutschland verbreiteten Geheimbund bildeten.

27 *grausenhaft:* seit dem späten 18. Jh. belegtes Adjektiv zu ›das Grausen‹.

30–48 *Von der Königstochter ... brechen müßte:* Es handelt sich um das Märchen »Die Gänsemagd« (in Bd. 2 des KHM-Erstdrucks, 1815, Nr. 3); dort lautet der Seufzer der Königstochter: »O du Falada, da du hangest«, die Antwort des Pferdekopfs: »O du Jungfer Königin, da du gangest, / wenn das deine Mutter wüßte, / ihr Herz tät ihr zerspringen!«

32 *strählte:* kämmte; abgeleitet von mhd. stræl ›Kamm‹.

51 *Rotbart:* Übersetzung von ital. Barbarossa; Beiname Friedrichs I. (1152–90), auf den um 1500 die Sage von dem im *Kyffhäuser* (vgl. V. 57) schlafenden und einst wiederkehrenden Kaiser, die urspr. an seinen Enkel Friedrich II. (1212–50) anknüpfte, übertragen worden war. Die Kyffhäuser-Legende wurde durch Joseph Görres' Vorrede zu den »Teutschen Volksbüchern« (1807), die Sageneditionen Johann Gustav Büschings (1812) und der Brüder Grimm (1816), Gedichte Friedrich Rückerts (1817), Hoffmanns von Fallersleben (1840) und Emanuel Geibels (1840) sowie die Barbarossa-Feier des Jahres 1840 neu belebt und aktualisiert. Die national-romantische Rezeption und der aus ihr erwachsende Barbarossa-Kult waren Ausdruck der dt. Kaiser- und Reichssehnsucht, des nationalen Einheitsverlangens. Die für das spätere 19. Jh. charakteristische Umleitung der Legende auf die Hohenzollern (ab 1866 besang etwa Geibel den preuß. König Wilhelm I. als ›neuen Barbarossa‹) ist in einem 1831 erschienenen Gedicht des liberalen Württembergers Gustav Pfizer (1807

bis 1890) bereits angedeutet. Geibels 1837 entstandenes Gedicht »Friedrich Rothbart« enthält die Prophetie, der preuß. Königsadler werde die Raben vertreiben und so die Wiederkehr des Kaisers ermöglichen. – Heine stützt sich vor allem auf zwei Erzählungen der Brüder Grimm (»Deutsche Sagen«, T. 1, Berlin 1816, Nr. 23 und 297), die er 1835 in der frz. Ausgabe der »Elementargeister« (HSS III,1020–22) referierte und kommentierte. In Büschings »Volks-Sagen, Märchen und Legenden« (Leipzig 1812) findet sich der bei den Brüdern Grimm fehlende Zug, daß sich Pferde in der Kyffhäuser-Höhle aufhalten (S. 328; vgl. V. 61–68); zu Heines V. 92 bietet Büschings Erzählung zudem eine fast wörtliche Parallele (S. 338: »[...] indem er die großen Augenbraunen zusammenzog.«). Den Hinweis, daß der Kaiser ›mit den Augen zwinkert‹ (V. 91), enthalten die Darstellungen Büschings (S. 334) und der Brüder Grimm (Nr. 23) hingegen übereinstimmend. (Vgl. auch Kap. V.)

·7 *Kyffhäuser:* Bergrücken in Thüringen, an dessen Südhang (4 km westl. von Frankenhausen) sich die 2 km lange ›Barbarossahöhle‹ befindet.

·1 *Marstall:* Gebäude für Pferde, Wagen und Geschirr einer fürstlichen Hofhaltung (zu mhd. marc / md. mar ›Streitroß‹; vgl. ›Mähre‹, ›Marschall‹).

·0 *Altfränkische:* wertneutral im Sinne von ›nach Weise der fränkischen Vorfahren‹ oder in der seit der Lutherzeit belegten Bedeutung ›altmodisch‹.

·2 *Trophäe:* (griech./lat.) Siegesmal aus erbeuteten Waffen.

·4 *Die Farbe ist schwarz-rot-gülden:* In den »Französischen Zuständen« (1832/33) schreibt Heine: »Den Franzosen, die mich über die Bedeutung dieser rot-schwarz-goldenen Fahne befragt, habe ich gewissenhaft geantwortet: der Kaiser Rotbart, der seit vielen Jahrhunderten im

---

Barbarossa im Kyffhäuser. Aus: Unser Heldenkaiser. Festschrift zum hundertjährigen Geburtstage Kaiser Wilhelms des Großen von Wilhelm Oncken, Berlin 1897, S. 155 (mit Initiale I)

Kyffhäuser wohnt, habe uns dieses Banner geschickt, al ein Zeichen, daß das alte große Traumreich noch existiert und daß er selbst kommen werde, mit Zepter und Schwert. Was mich betrifft, so glaube ich nicht, daß letzteres so bald geschieht; es flattern noch gar zu viele schwarze Raben um den Berg« (HSS III,246). Siehe Anm zu XVI,89–92.

92 *Braunen:* in der ersten Hälfte des 19. Jh.s die vorherrschende Form für ›(Augen-)Brauen‹.

99 *reisiges Volk:* altertümelnd für ›berittenes Gefolge‹ (abgeleitet von mhd. reise ›Kriegszug‹).

103 *klirrende Welt:* Vgl. Anm. zum Titel.

Caput XV

7 *Es reiten ... Tor hinaus:* Eingangszeile eines populären Volkslieds, abgedruckt im 1805 erschienenen ersten Band der Sammlung »Des Knaben Wunderhorn« (dort »ritten«).

19 *Antiquar:* (lat., aus antiquarius) zunächst: Altertumsforscher, dann: Händler mit Altertümern (Antiquitäten bzw. wertvollen alten Büchern.

20 *Kuriosa:* seltene, seltsame Dinge (zu lat. curiosus ›wißbegierig, eifrig forschend‹; frz. curieux ›neugierig, sehenswert‹).

22 *Kolben:* mhd. kolbe ›Keule‹; Waffe des gemeinen Mannes, auch ritterliche Waffe.

24 *Hermeline:* erstarrte Verkleinerungsform zu ›harm‹ ›Wiesel‹; das kostbare weiße Winterfell des kleinen Raubtiers wurde in Mittelalter und früher Neuzeit nur für die Gewänder höchster Standespersonen verarbeitet.

28 *Pickelhaube:* mhd. becken- bzw. beckelhûbe, die seit dem 13. Jh. unter dem Topfhelm getragene beckenförmige Blechhaube. Vgl. Anm. zu III,37.

44 *Dukaten:* urspr. in Venedig geprägte Goldmünze; sie erhielt ihren Namen nach der Umschrift: »Sit tibi Christe datus quem tu regis iste ducatus« (Dir, Christus, sei dieser

Herzogtum gegeben, welches du regierst). Seit Mitte des 16. Jh.s dt. Reichsmünze.

54 *klätschelte:* klopfte liebkosend (zu ›klatschen‹, schallend schlagen).

59 *genung:* seit dem 14. Jh. in der Schriftsprache belegte, bis ins frühe 19. Jh. häufig begegnende Nebenform zu ›genug‹.

61 *Roßkämme:* Pferdehändler; der zweite Teil des Wortes leitet sich her von mlat. cambiare ›tauschen‹. ›Roßtauscher‹ bzw. ›Roßtäuscher‹ ist jmd., der auf dem Tauschwege mit Pferden Handel treibt.

79 *chi va piano va sano:* (ital.) wer langsam geht, geht sicher.

80 *Sprüchwort:* mhd. sprichwort; die seit Anfang des 16. Jh.s belegte Form ›Sprüchwort‹ beruht auf volksetymologischer Anlehnung an ›Spruch‹.

Caput XVI

11 *Siebenjährigen Krieg:* der europ. Krieg 1756–63, durch den Preußen zur Großmacht aufstieg.

13 *Moses Mendelssohn:* Der mit Lessing befreundete Philosoph Moses Mendelssohn (1729–86) wirkte im Sinne der Aufklärung und leitete die Emanzipation des Judentums in Deutschland ein (vgl. HSS III,583 f.).

14 *Karschin:* Anna Luise Karsch (1722–91), vom preuß. Hof protegierte Dichterin (u. a. »Friedrich der Beschützer und Liebenswürdige«, 1759; »Der Einzug Friedrichs des Unüberwindlichen«, 1763); seit 1761 in Berlin, wo sie als »deutsche Sappho« gefeiert wurde.

15 f. *Gräfin Dübarry ... Ludwigs Mätresse:* Marie Jeanne Gräfin Dubarry, seit 1769 die *Mätresse* (frz., einflußreiche Geliebte, eigtl. ›Herrin‹) Ludwigs XV. von Frankreich (1715–74); 1793 auf Betreiben Robespierres enthauptet.

19 *Rebekka:* Heine gibt Mendelssohns Ehefrau Fromet (1738–1812) in Analogie zu Moses einen alttestamentarischen Namen (vgl. 1. Mose 24).

19–22 *Abraham ... Lea ... Felix:* Der Sohn Moses Mendelssohns, *Abraham* (1776–1835), und dessen Ehefrau *Lea* (1777–1842) sind die Eltern des Komponisten und Dirigenten *Felix* Mendelssohn-Bartholdy (1809–47), der seit 1835 das Leipziger Gewandhaus-Orchester leitete (vgl. V. 24) und auf dessen Konversion zum Katholizismus Heine (V. 23) anspielt.

26 *die Klencke:* Karoline Luise von Klencke (1754–1802), die gleichfalls dichtende Tochter der Karschin.

27 *Helmine Chézy:* Helmine Christiane von Chézy (1783 bis 1856), die Enkelin der Karschin; sie »schrieb zärtliche Lieder und anmutige Novellen« – so Heine (HSS III,876), der mit ihr persönlich bekannt war.

35f. *Der Sechzehnte ... Antoinette:* Ludwig XVI. von Frankreich (1774–92) und seine Gemahlin, die österr. Kaisertochter Marie Antoinette (1755–93), wurden 1793 enthauptet.

50f. *Maschine ... erfunden Herr Guillotin:* Das in der Französischen Revolution eingeführte Hinrichtungsgerät erhielt seinen Namen nach dem frz. Arzt Joseph Ignaz Guillotin (1738–1814), der indes lediglich den Vorschlag gemacht hatte, die Todesstrafe durch eine Köpfmaschine zu vollziehen.

68 *Etikette:* (frz.) am Pariser Hof der ›Zettel mit der Hofrangordnung‹; danach: die bei Hof zu beachtenden Förmlichkeiten und Verhaltensregeln.

72 *Die ... Flügel stutzen:* redensartl. für ›jmdn. in seiner Freiheit beschränken‹.

75 *Odem:* ältere Nebenform zu ›Atem‹.

76 *Majestätsverbrechen:* nach dem lat. maiestatis crimen; urspr. ein Verbrechen, das die Existenz des Staates gefährdete, in Rom auf die Person des Kaisers bezogen.

78 *sonder:* zunächst ein Adv. (›gesondert, für sich‹), das sich zur Präp. mit der Bedeutung ›ohne‹ wandelte.

89–92 *deine Fahne ... Farben:* Schwarz-Rot-Gold waren die – von Heine als »Affensteißcouleuren« verspotteten – Farben der Burschenschaften, in denen sich nach den Napoleonischen Kriegen die studentische Bewegung für Freiheit und Einheit einen ersten organisierten Kern schuf. Sie wurden offenbar in der Annahme gewählt, es handle sich um die Farben des alten deutschen Kaiserreiches (vgl. L. Buschkiel, »Die deutschen Farben«, Weimar 1935, S. 41–51; s. auch Anm. zu XIV,84). In einer »Selbstbiographie« schreibt Heine 1835: »Was die Teutomanen, diese alten Allemannen betrifft, deren Patriotismus nur in einem blinden Franzosenhaß besteht, so habe ich sie in allen meinen Schriften mit Erbitterung verfolgt. Es ist dies eine Animosität, die noch von der Burschenschaft herrührt, an welcher ich Teil genommen habe« (HSS V,593; vgl. VI/1,271).

93–96 *Das beste ... keinen Kaiser:* Vgl. das Gedicht »Kobes I.« (1854), in dem Heine sich selbst zitiert:

Jedoch wozu noch Kaiser und Flöh?
Verrostet ist und vermodert
Das alte Kostüm – Die neue Zeit
Auch neue Röcke fodert.

Mit Recht sprach auch der deutsche Poet
Zum Rotbart im Kyffhäuser:
»Betracht ich die Sache ganz genau,
So brauchen wir gar keinen Kaiser!« (HSS VI/1,235)

Caput XVII

4 *widersetzig:* Adj. zu ›Widersatz‹, verdrängt durch gleichbedeutendes ›widersetzlich‹ (aufsässig, widerspenstig).

9f. *fuhr ich einem Wald / Vorbei:* in der Literatur des 19. Jh.s häufig begegnende Konstruktion; vgl. Grimm XII/2,869f., wo als Beleg u.a. angeführt ist: »die gegenden, denen man vorbeifuhr« (Tieck).

14f. *Birken und Birkenreiser ... warnend:* »aus der birke wird die rute gebrochen, vor der sich die kinder fürchten« (Grimm II,39).

29f. *Halsgericht ... Karls des Fünften: Halsgericht* nannte man im Mittelalter das Gericht, das über schwere Verbrechen zu urteilen hatte; *peinlich* meint im mittelalterlichen Recht: Leib und Leben betreffend. Die 1532 von Kaiser Karl V. (1519–56) erlassene »Peinliche Gerichtsordnung« (»Constitutio Criminalis Carolina«) war das erste dt. Gesetzbuch, das Strafrecht und Strafprozeß reichsgesetzlich regelte.

32 *Ständen, Gilden und Zünften:* Die drei *Stände,* auf deren bevorrechteter Stellung die ›ständische‹ Ordnung des Mittelalters beruhte, waren Adel, Klerus und (stadtbürgerl.) Patriziat; entsprechend gliederten sich seit dem Spätmittelalter die Vertretungskörperschaften der Länder gegenüber den Landesherren, die Landstände, in drei Kurien: Ritterbank, Prälatenbank und Städtebank. Auch der Reichstag (des alten Dt. Reiches, bis 1806), in dem die Reichsstände Sitz und Stimme hatten, war seit Ende des 15. Jh.s in drei Kollegien unterteilt: das Kurfürstenkollegium, den Reichsfürstenrat (die übrigen Fürsten sowie die reichsunmittelbaren Grafen und Prälaten) und das Kollegium der Reichsstädte. – *Gilden* hießen die Zusammenschlüsse (vor allem) von Kaufleuten, *Zünfte* die (Zwangs-)Vereinigungen von Handwerkern.

33 *das alte Heilige Römische Reich:* Bezeichnung für das Deutsche Reich (seit dem 15. Jh. mit dem Zusatz »Deutscher Nation«) bis 1806 (Niederlegung der dt. Kaiserkrone durch Franz II.), das seit 962 als Fortsetzung des Römischen Reiches galt.

36 *Firlifanze:* Firlefanz, umgspr. für: Flitterkram, Tand, Torheit, Possen. Das Wort geht zurück auf afrz. vire-lai ›Ringellied‹; mhd. firlei/firlefei (ein Tanz) wurde unter Einfluß von ›tanz‹ umgeformt zu gleichbed. mhd. firlifanz/firlefanz.

41 *Kamaschenrittertum:* In der frz. Ausgabe des »Wintermärchens« heißt es: »cette chevalerie en uniforme prussien« (dies Rittertum in preuß. Uniform). ›Kamaschen‹ ist Nebenform zu ›Gamaschen‹ (aus frz. gamaches ›knöpfbare Überstrümpfe‹). »In allgemeinerem gebrauch waren sie

zuletzt beim militär und dienten da sprichwörtlich als zeichen der alten steifen, zopfigen soldatenzucht«; ›Kamaschentum‹ wurde redensartlich für »pedanterie im soldatenwesen« verwendet (Grimm V,95). – »Im preußischen Heere hat von je her ein außerordentliches Streben zur Befriedigung des Auges, eine unverhältnismäßige Werthlegung auf Gleichförmigkeit und Straffheit sowohl im Anzuge, als im Tempo der Griffe und der Bewegungen, mit einem Wort eine gewaltige Kamasche geherrscht« (H. Beitzke, »Geschichte der Deutschen Freiheitskriege in den Jahren 1813 und 1814«, Bd. 1, Berlin 1854, S. 513).

43 *gotischem:* Hier in der Bedeutung ›mittelalterlich‹, mit dem Nebensinn ›geschmacklos, roh, barbarisch‹. Die Bezeichnung ›Gotik‹ kam in der Renaissance auf und war verächtlich gemeint: Mittelalterliche Kunst wurde den Goten zugeschrieben und das Gotische dem Barbarischen gleichgesetzt.

44 *weder Fleisch noch Fisch:* sprichwörtl. Redensart (eigtl. »weder Fisch noch Fleisch«): es hat keine Eigenart, ist zweideutig und unklar.

45–47 *Komödiantenpack ... Vorzeit parodiert:* Vordergründig Anspielung auf die zahlreichen zeitgenössischen Aufführungen von historischen, vor allem das Mittelalter ›romantisierenden‹ Schauspielen. Der Kontext und die Satire auf die Mittelalter-Restauration in Cap. III (V. 37–60) lassen jedoch keinen Zweifel daran, daß Heine eigtl. das von ihm als ›Parodie der Vorzeit‹ empfundene preuß. *Kamaschenrittertum* meint. Im 1844 entstandenen Gedicht »Der neue Alexander« legt er Friedrich Wilhelm IV. die Worte in den Mund: »Ich ward ein Zwitter, ein Mittelding / Das weder Fleisch noch Fisch ist, / Das von den Extremen unsrer Zeit / Ein närrisches Gemisch ist« (HSS IV,458).

Caput XVIII

1f. *Minden ... Waffen:* Parodie der Eingangszeilen eines Lieds von Martin Luther: »Ein' feste Burg ist unser Gott, / Ein' gute Wehr und Waffen«. – Der Kölner Erzbischof Droste zu Vischering (1773–1845) wurde am 20. 11. 1837 zwangsweise auf die preuß. Festung Minden gebracht und dort bis 1839 in Haft gehalten.

9 *Bastionen:* (ital./frz.) vorspringende Bollwerke einer Festung.

14–20 *Wie des Odysseus ... Riesen:* In Homers »Odyssee« (9. Gesang, V. 240ff. und 366ff.) sperrt der einäugige Riese *Polyphem* den Odysseus in seine Höhle ein, indem er einen Felsblock vor den Höhleneingang schiebt. Odysseus, der sich *Niemand* nennt, gelingt die Flucht, nachdem er dem betrunkenen Polyphem mit einem glühenden Pfahl das Auge ausgestochen hat.

20 *Star:* volkstüml. Bezeichnung für bestimmte Augenkrankheiten; jmdm. ›den Star stechen‹ bezieht sich zunächst auf die Praktiken zur Beseitigung der Krankheit; seit dem 17. Jh. wird der Ausdruck in übertragener Bedeutung verwendet: jmdm. die Augen öffnen, die Wahrheit offenbaren.

26–28 *rotem ... Gold ... schmutzigen:* Anspielung auf die Farben Schwarz-Rot-Gold.

28 *Quaste:* Ziertroddel an der Klingelschnur (Nachtklingel).

31 *des Damokles Schwert:* Nach einer Erzählung Ciceros (»Tusculanae Disputationes«, V,21,6) ließ der Tyrann Dionysios von Syrakus ein Schwert an einem Pferdehaar über dem Höfling Damokles pendeln, wenn dieser sich üppigen Tafelfreuden hingab. Daher wurde ›Damoklesschwert‹ sprichwörtl. für die im Glück stets drohende Gefahr.

40 *Im Faubourg-Poissonnière:* Seit 1841 wohnte Heine mit seiner Frau in der Pariser Rue du Faubourg Poissonnière.

51–59 *An einer steilen Felsenwand ... Leber aus der Brust:* Anspielung auf das Schicksal des den Göttern trotzenden Titanen Prometheus, des ›Vorausdenkenden‹ und Lichtbringers. Nach der griech. Sage wurde er an einen Felsen geschmiedet, und ein Adler fraß ihm täglich die nachts nachwachsende Leber ab.

67f. *freien Natur ... bückeburg'schem Boden:* Bückeburg war seinerzeit die Residenzstadt des souveränen Fürstentums Schaumburg-Lippe.

Caput XIX

1–4 *Oh, Danton ... an den Füßen:* Georges Jacques Danton (1759–94), der Führer der unteren Volksmassen in der Französischen Revolution, soll, als ihm Freunde zur Flucht rieten, ausgerufen haben: »Partir! ... Est-ce qu'on emporte sa patrie à la semelle de son soulier!« (A. F. Mignet, »Histoire de la Révolution Française depuis 1789 jusqu'en 1814«, Bruxelles [19]1842, Bd. 2, S. 168). Dieselben Worte legt Georg Büchner der Titelfigur seines 1835 entstandenen Dramas »Dantons Tod« (II,1) in den Mund: »Nimmt man das Vaterland an den Schuhsohlen mit?«

11f. *Großvater ... Großmutter:* Gemeint sind die Großeltern väterlicherseits, Heymann Heine (gest. 1780) und dessen zweite Ehefrau Mathe Eva, geb. Popert (gest. 1799).

23 *der König:* Ernst August (1837–51 König von Hannover), der kurz nach der Regierungsübernahme das Staatsgrundgesetz von 1833 aufgehoben hatte; in einem Arbeitsmanuskript wird er als »hagerer Volksverächter« bezeichnet (vgl. Kap. II).

27 *Rotröcke:* hannoversche Soldaten, nach ihrer Uniform so genannt.

29 *Cicerone:* (ital.) Fremdenführer (ihrer Redseligkeit wegen scherzhaft mit dem berühmten röm. Redner Cicero verglichen). Möglicherweise spielt Heine auf den Politiker und Schriftsteller Johann Hermann Detmold (1807–56)

an, mit dem er sich am 8. 12. 1843 in Hannover getroffen hat.

30 *Augustus:* (lat.) der Erhabene (Ehrenbeiname der röm. Kaiser), hier ironisch statt ›August‹.

31 f. *Hochtoryscher Lord ... sein Alter:* Ernst August, Anfang 1844 bereits 72 Jahre alt, war vor der Thronbesteigung Führer der ›Tories‹, der Konservativen im engl. Oberhaus.

34 *Trabanten:* bewaffnete Leibwächter (in einer handschriftlichen Vorstufe: »Gewehre«).

36 *Von unseren lieben Bekannten:* In einer Vorstufe hieß es: »Der deutschen Revoluzionäre.«

43 *Spleen:* (engl.) eigtl. Milzsucht (eine Unterleibserkrankung), »dann aber zur Bezeichnung einer Art von Hypochondrie gebraucht [...], die in Abgestumpftheit für alle Lebensfreuden, Gleichgültigkeit und zuletzt Lebensüberdruß besteht, dessen Ende nicht selten Selbstmord ist« (Brockhaus IV, 1841, S. 252). V. 44 lautete in der Reinschrift zunächst: »Daß er sich mal erhänge.«

47 *Lavement:* Klistierflüssigkeit, Abführmittel.

Caput XX

5 *Mutter:* Heines Mutter wohnte seit 1828 in Hamburg; im Mai 1831 hatte Heine Hamburg verlassen und war ins »freiwillige Exil« nach Paris gegangen (vgl. V. 9).

39 *stopfen:* mit einer Füllung versehen.

Caput XXI

1 *Die Stadt ... abgebrannt:* Durch den Großbrand in Hamburg (5.–8. 5. 1842) wurden über 20000 Menschen obdachlos; Heine schreibt in einem Artikel (Augsburger »Allgemeine Zeitung«, 26. 5. 42): »[...] mein armes Hamburg liegt in Trümmern, und die Orte, die mir so wohl bekannt, mit welchen alle Erinnerungen meiner Jugend so innig verwachsen, sie sind ein rauchender Schutthaufen!« (HSS V,165).

Ansicht von Hamburg nach dem Brand 5.–8. Mai 1842. Zeitgenössischer Stich. Staatliche Landesbildstelle Hamburg

9f. *die Druckerei ... »Reisebilder« druckte:* Bd. 1 und 2 der »Reisebilder« wurden bei J. G. Langhoffs Erben, Bd. 3 bei Conrad Müller Wwe. gedruckt; beide Druckereien wurden beim Brand zerstört.

11 *Austernkeller:* das Restaurant »des Signor Unbescheiden« am Breitengiebel (HSS II,251).

13 *der Dreckwall:* nach dem Wiederaufbau in ›Alte Wallstraße‹ umbenannt.

15 *der Pavillon:* der »sogenannte Schweizerpavillon«, ein »zeltartiges lustiges Kaffeehäuslein« am Jungfernstieg (HSS I,514).

33–36 *Die Bank ... geblieben!:* »Das Bankgebäude (von 1827) neben dem Rathaus wurde zwar vernichtet. Der Silberschatz blieb aber unter den Trümmern des Rathauses unversehrt. [...] Die Rettung des Silbers und der Bankbücher ist ein Zeichen für die Fortführung der Handelstradition« (Kruse, »Heines Hamburger Zeit«, S. 321).

35 *Banko:* Hamburger Bankwährung bis 1873.

37 *man kollektierte:* von lat. colligere ›sammeln‹. – Heinrich von Treitschke kommentiert: »Bei dem Wiederaufbau der Stadt half die gesamte Nation brüderlich mit. [...] Und alle diese Werke der Barmherzigkeit verklärte der patriotische Gedanke. Zahllose Gedichte und Aufrufe sprachen aus: durch den Kölner Dom und den Wiederaufbau Hamburgs müßten die Deutschen zeigen, daß sie als Landsleute in Freud und Leid zusammenstünden. Der Naturdrang der nationalen Einheit wallte kräftig auf [...]. Auch der König von Preußen [vgl. V. 47 f.] nahm an dem Werke der Barmherzigkeit freudig theil. Er half durch seine Truppen die Ordnung aufrecht halten« (»Deutsche Geschichte im 19. Jahrhundert«, T. 5, Leipzig 1894, S. 180 f.).

39 *Ein gutes Geschäft:* Vgl. die durch V. 41–44 ersetzte Strophe der Reinschrift (Kap. II).

43 *Viktualien:* Lebensmittel, von lat. victus ›Unterhalt, Nahrung‹.

55f. *Troja ... verbrennen:* im ›Trojanischen Krieg‹, über den Homer in der »Ilias« berichtet.

61 *Cayenne-Piment:* pfefferartiges Gewürz aus den Früchten des südamerik. Myrtengewächses ›Pimenta‹. Cayenne ist die Hauptstadt von Französisch-Guayana.

62 *Mockturtelsuppen:* unechte Schildkrötensuppe (engl. mock ›falsch‹; turtle ›Schildkröte‹).

65 *Kalkuten:* Truthähne.

66f. *Tücke / Des Vogels:* des preuß. Adlers; unter dem ›Kuckucksei‹ (das bekanntlich in fremde Nester gelegt wird) ist die Bemühung Preußens zu verstehen, die ›Freie und Hansestadt Hamburg‹ zum Eintritt in den Zollverein zu bewegen.

71 *an ihn:* Danach Zusatz in der franz. Ausgabe: »à ce crapaud ailé de Brandebourg« (an die geflügelte Kröte aus Brandenburg).

Caput XXII

13 *Die alte Gudel:* Hamburger Freudenmädchen, das Heine schon 1829 im dritten Teil der »Reisebilder« erwähnt: »die dicke Gudel vom Dreckwall« (HSS II,434; vgl. HSS IV,405f.).

14 *Sirene:* im griech. Mythos dämonisches Mischwesen mit Vogelleib und Frauenkopf, das durch seinen betörenden Gesang die an seiner Insel Vorüberfahrenden anlockt, um sie dann zu töten (vgl. Homers »Odyssee«, 12. Gesang).

17 *konserviert:* lat. conservare ›bewahren, (frisch) erhalten‹.

18 *Mein Freund der Papierverkäufer:* Nach Maximilian Heine (»Erinnerungen an Heinrich Heine«, Berlin 1868, S. 129f.) ist der Papierhändler Eduard Michaelis (1771–1847) gemeint.

21 *Den ****:* Der Ehemann einer Cousine Heines, Dr. Adolf Halle (1798–1866), der geisteskrank wurde (vgl. V. 23). Am 9. 1. 1850 schreibt Heine an seinen Bruder Maximilian: »Daß Dr. Halle verrückt ist und wie ein Hahn kräht, wirst Du wissen« (HSS VI/2,219).

24 *Bieber:* Georg Ehlert Bieber (1761–1845), Bevollmäch-

tigter einer Hamburger ›Brand-Versicherungs-Assoziation‹, die nach dem Großbrand (1842) zahlungsunfähig wurde.

25 *meinen alten Zensor:* Friedrich Lorenz Hoffmann (1790–1871) von 1822 bis 1848 Zensor in Hamburg; er hat den ersten Band der »Reisebilder« (1826) und die Schrift »Über den Denunzianten« (1837) zensiert. Vgl. Cap. XXV,29–32 und XXVI,99–104.

35–38 *Gumpelino ... ausgehaucht ... soeben:* Der schon in den »Bädern von Lucca« (1829) als Gumpelino verspottete Bankier Lazarus Gumpel starb während Heines Anwesenheit in Hamburg am 9. 11. 1843.

39 *Seraph:* Im Alten Testament (Jes. 6,2) sechsflügelige Wesen, die Jahve (Jehova) umschweben; später unter die Engel eingeordnet.

42 *Den krummen Adonis:* Eine stadtbekannte Hamburger Straßenfigur: »Der kleine blödsinnige Eeltje, der [...] laut vor sich hinsprechend durch die Straßen schlurrte, und Tassen ohne Öhre für drei Sechslinge ausbot« (Albert Borcherdt, »Das lustige alte Hamburg«, Bd. 1, Hamburg [3]1890, S. 46). *Adonis* ist in der griech. Sage der Geliebte der Aphrodite; danach: schöner Jüngling.

45 *Sarras:* der Jagdhund von Heines Verleger Julius Campe.

47 *Schock:* altes Zählmaß, 60 Stück, im übertragenen Sinne: eine große Menge.

49 *Population:* (lat./frz.) Bevölkerung.

55 *Wechsel:* eine Art Wertpapier, die in schriftlicher Form übernommene Verpflichtung zur Zahlung einer bestimmten Geldsumme.

56 *Respittag:* (von engl. respite ›Frist, Aufschub‹) der letzte Tag der auf dem Wechsel vermerkten bzw. der gesetzlich geregelten Zahlungsfrist.

57–60 *Die Juden ... die Neuen:* Aufgrund der vom ›Tempelverein‹ durchgeführten Reform des israelitischen Gottesdienstes war es 1816 zu einer Spaltung der Hamburger Juden gekommen (vgl. HSS II,430).

61 *essen Schweinefleisch:* Da das Schwein nach dem Alten Testament (5. Mose 14,8 u.ö.) als unreines Tier gilt, ist orthodoxen Juden der Genuß von Schweinefleisch durch die ›Speisegesetze‹ untersagt.
64 *aristokrätzig:* witzige Kontamination von ›aristokratisch‹ und ›krätzig‹ (die ›Krätze‹ habend, räudig).

Caput XXIII

4 *Keller von Lorenz:* Hamburger Feinschmeckerlokal.
8 *schlampampen:* Streckform zu ›schlampen‹ (schlemmen), die ›schmatzend essen‹ und ›schlürfend trinken‹ lautmalend bezeichnet.
11 *Chaufepié:* der Hamburger Arzt Hermann de Chaufepié (1801–56).
13–18 *der Wille ... der Fucks ... Feind des Jehova:* Dem Journalisten François Wille (1811–96) und dem Philosophielehrer Friedrich August Fucks (1811–56) begegnete Heine im November 1843 in Hamburg. Wille, der als Student in Göttingen einer ›schlagenden Verbindung‹ angehört hatte, berichtet in seinen Heine-Erinnerungen: »Heine sagte dann mit seiner sanften, etwas hohen Stimme [...]: ›Ja, man hat mir in Paris gesagt: wenn Sie in Hamburg einen Mann treffen, dessen blasses Gesicht ganz von roten Narben geteilt ist, so ist es Wille!‹ Ich lächelnd: ›Leider ist mein Gesicht noch immer ein Stammbuch, nur nicht der Freunde sondern der Feinde. Erlauben Sie mir Herr Dr. Ihnen Hr. Dr. Fucks, den persönlichen Feind Gottes vorzustellen.‹ Heine hat sich bekanntlich dieser beiden Scherze erinnert und sie im Wintermärchen an unsere Namen geknüpft« (Heine-Jahrbuch 1967, S. 6).
20 *Venus des Canova:* Gemeint ist die von dem ital. Bildhauer Antonio Canova (1757–1822) geschaffene Marmorstatue der Schwester Napoleons, Paulina Bonaparte-Borghese, als ruhende Venus.
21 *Campe war Amphitryo:* Nach der griech. Sage nahm Zeus die Gestalt des Amphitryo an, besuchte dessen Gat-

tin Alkmene und zeugte mit ihr Herakles. Hier wohl Anspielung auf Campes ›selbstlose Gastfreundschaft‹.

38 *sein großes Werde:* Anspielung auf die bibl. Schöpfungsgeschichte (1. Mose 1).

41 *Der auch Zitronen wachsen ließ:* parodistischer Anklang an Ernst Moritz Arndts »Vaterlandslied. 1812«:
Der Gott, der Eisen wachsen ließ,
Der wollte keine Knechte,
Drum gab er Säbel, Schwert und Spieß
Dem Mann in seine Rechte [...].

55 *Die Katzen ... alle grau:* in Anlehnung an das Sprichwort ›Bei Nacht sind alle Katzen grau‹: »die nacht verwischt die unterschiede, deckt schäden und blöszen zu; der spruch wird z.b. zur entschuldigung für misgriffe oder zu allerlei trost gesagt«, z.B. »wenn einer ein häszlich weib heiratet« (Grimm V,286).

56 *Die Weiber alle Helenen:* Helena, deren Entführung nach der griech. Sage den Trojanischen Krieg auslöste, gilt als Urbild weiblicher Schönheit. Vgl. Mephistos Worte in Goethes »Faust« (I, V. 2603f.): »Du siehst, mit diesem Trank im Leibe, / Bald Helenen in jedem Weibe.«

57 *Drehbahn:* Hamburger Dirnenstraße (vgl. HSS I,511f.).

62 *Turkoasen:* nach dem frz. turquoise ›Türkis‹; blaue Edelsteine.

65–68 *eine Mütz' ... Zinnen:* »Die Mütze der Hammonia [s. Anm. zu V. 107] aus weißem steifen Linnen bezeichnet das Hamburger Stadtwappen mit den drei Türmen und sieben Burgzinnen, zugleich aber auch eine bizarre Nachtmütze.« Ihre Trägerin symbolisiert »die politische Restauration, die biedermeierliche Stagnation« (Kruse, »Heines Hamburger Zeit«, S. 323).

69 *Tunika:* im antiken Rom getragenes hemdartiges Leinengewand.

72 *dorischen Säulen:* vergleichsweise schwere, gedrungene Säulen der im ›dorischen Stil‹ erbauten griech. Tempel.

75f. *das übermenschliche ... höheres Wesen:* In einem Vorrede-Entwurf zur frz. Ausgabe (1855) schreibt Heine:

Darstellung der Hammonia in einer Zeichnung des 19. Jahrhunderts. Senat der Freien und Hansestadt Hamburg, Staatsarchiv

»[...] wir sehen da ein schönes Weib, dessen unterer Teil jenen prachtvollen Umfang hat, der den berühmten Reiz der Venus Kallipygos ausmacht« (Übers. nach HSS IV,1046). ›Kallipygos‹ (griech., ›mit schönem Hintern‹) ist Beiname der Aphrodite-Venus.

86 *hundertköpfige Hyder:* ›Hydra‹ ist in der griech. Sage ein neunköpfiges Ungeheuer, dem für jeden abgeschlagenen Kopf zwei neue nachwachsen.

92 *der Sturm hat sie entblättert:* parodistischer Anklang an den Schluß von Lessings »Emilia Galotti« (1772): »Eine Rose gebrochen, ehe der Sturm sie entblättert.« Emilia wird durch den Tod vor dem Mätressenschicksal bewahrt.

93–96 *zertreten ... Los / Von allem Schönen:* parodistischer Anklang an Schillers »Wallensteins Tod« (V. 3177–80):
– Da kommt das Schicksal – Roh und kalt
Faßt es des Freundes zärtliche Gestalt
Und wirft ihn unter den Hufschlag seiner Pferde –
Das ist das Los des Schönen auf der Erde!

105 *Mamsell:* verkürzt aus frz. Mademoiselle ›mein Fräulein‹; in Deutschland bis ins 19. Jh. hinein Anrede für unverheiratete Bürgertöchter, dann für weibl. Dienstboten, Wirtschafterinnen.

106 *welsche Lorettin:* Umschreibung für ›französische Dirne‹, nach der Kirche Notre Dame de Lorette, in deren Nähe sich das Pariser Dirnenquartier befand; das Adj. ›welsch‹ (aus: walhisch) ist abgeleitet von mhd. walh ›Fremder‹, bes. ›Romane‹ (nach dem keltischen Stamm der Volcae).

107 *Hammonia:* Im Vorrede-Entwurf zur frz. Ausgabe heißt es: »[...] obgleich ich der Göttin Germania keinen besonderen Kult geweiht habe, möchte ich nicht, daß der Leser sie mit der Göttin Hammonia identifiziert, die ich in diesem Gedicht ein bißchen frivol besungen habe. Letztere ist die Schutzgöttin der Stadt Hamburg« (Übers. nach HSS IV,1046). »Der lateinische Name taucht um 1500 auf und löst andere Latinisierungen: Hamburgum, Hammonis castrum (14. Jahrhundert) und urbs Jovis (15. Jahrhundert) ab« (Kruse, »Heines Hamburger Zeit«, S. 324).

Caput XXIV

1 *Sahltrepp':* hamburgisches Wort für die ins Obergeschoß eines Hauses führende Treppe (vgl. John Libis, »Eine mißverstandene Heine-Stelle«, in: Euphorion 30 (1929) S. 551 f.).

11 *Der Sänger ... Messias besang:* Friedrich Gottlieb Klopstock (1724–1803), auf dessen Versepos »Der Messias« (1748–73) angespielt wird. In den »Memoiren des Herren von Schnabelewopski« (1833) schreibt Heine: »Wie oft hab ich dein Grab besucht, Sänger des Messias, der du so rührend wahr die Leiden Jesu besungen! Du hast aber auch lang genug auf der Königstraße hinter dem Jungfernsteg gewohnt, um zu wissen, wie Propheten gekreuzigt werden« (HSS I,526).

16 *Haubenkopfstock:* ›Haubenkopf‹ oder ›Haubenstock‹ wurde ein rundlicher Klotz genannt, über den man die Haube stülpte, damit ihre Form erhalten blieb.

22 *Genergelt:* belästigt und geärgert, durch ›Mäkeln, Nörgeln‹ (Nebenform: nergeln).

27 *Toleranz:* von lat. tolerare ›(er)dulden, ertragen‹.

51 f. *alte Frau ... Das Lottchen:* Heines Mutter und die Schwester Charlotte, vermählte Embden (1800–99).

53 *jenem edlen alten Herrn:* Heines Onkel, der Hamburger Bankier Salomon Heine (1767–1844), der den Neffen finanziell unterstützte.

61 f. *Ich sehnte ... Schornsteinen:* möglicherweise in Anlehnung an Homers »Odyssee« (1. Gesang, V. 57 ff.): »Aber Odysseus / Sehnt' sich, auch nur den Rauch von Ithakas heimischen Hügeln / Steigen zu sehn und dann zu sterben!«

66–68 *Leidensstationen ... Dornenkronen:* wohl vor allem Anspielung auf die unglückliche Liebe zu Kusine Amalie und den beruflichen Mißerfolg während des Hamburger Aufenthalts 1816 bis 1819.

76 *Publiko:* lat. Dat. zu ›publicum‹.

84 *Menzel und seine Schwaben:* Wolfgang Menzel (s.

Anm. zu IV,27), der den von Heine vor allem im »Schwabenspiegel« verspotteten »lieben Kleinen von der schwäbischen Dichterschule« nahestand (HSS V,57; s. Anm. zu III,3f.).

Caput XXV

12 *frivolen:* (frz.) leichtfertigen, schlüpfrigen.

16 *Mentor:* in der griech. Sage enger Freund des Odysseus und väterlicher Berater des Telemachos (in dieser Rolle sprichwörtl. geworden: Lehrer, Berater). Hier Anspielung auf die von Campe ausgeübte verlagsinterne ›Zensur‹.

18 *Sylphiden:* weibl. Luftgeister, von der mittelalterlichen Magie (neben Salamandern, Gnomen und Undinen) zu den Elementargeistern gerechnet. Hier im Sinne von ›leichtfertige, verführerische Mädchen‹; »durch das Wort ›ungesund‹ im nächsten Vers enthält der Begriff eine Anspielung auf die Syphilis, verbreitete Geschlechtskrankheit« (Fingerhut).

39f. *wie einst / In Rom ... Selbstentleibung:* Heine spielt wohl auf den Selbstmord Friedrich Ludwig Weidigs (1791 bis 1837) an; Weidig, Mitarbeiter am »Hessischen Landboten« (1834), schnitt sich (vier Tage nach Georg Büchners Tod) im Darmstädter Gefängnis die Pulsadern auf. (Vgl. Anm. zu XI,39).

41 *Gedankenfreiheit:* Vgl. das geflügelte Wort »Sire, geben Sie Gedankenfreiheit!« (nach Schillers »Don Carlos« III, 10), das Heine dem Zweitdruck seines Gedichts »Georg Herwegh« als Motto voranstellte (vgl. den Nachdruck im »Vorwärts«, 10. 1. 1844).

46 *Demagogen:* Volksverführer, Hetzer (im Griechischen urspr. ›Volksführer‹); ›demagogische Umtriebe‹ ist seit den ›Karlsbader Beschlüssen‹ (1819) ein politisches Schlagwort; von der ›Demagogenverfolgung‹ betroffen waren wegen ihrer nationalen und liberalen Bestrebungen vor allem die Burschenschaftler.

48 *Die Staatskokarde entzogen:* Die ›Kokarde‹ ist das staat-

liche Hoheitsabzeichen an der Dienstmütze von Beamten und Soldaten. Nach einer von Friedrich Wilhelm III. in Preußen eingeführten Regelung bedeutet der Entzug der Staatskokarde den Verlust der bürgerlichen Ehrenrechte. Heine spielt möglicherweise auf das entsprechende Vorgehen gegen den politischen Schriftsteller Johann Jacoby (1805–77) an, der wegen seiner Flugschrift »Vier Fragen, beantwortet von einem Ostpreußen« (1841) strafverfolgt wurde.

60 *Liljen:* ältere Nebenform zu ›Lilie‹.

64 *Freiligraths Mohrenkönig:* Gemeint ist die Ballade »Der Mohrenfürst« (1838), in der Freiligrath (s. Anm. zu XI,27) anklagend die Versklavung eines afrik. Stammesfürsten schildert. In der Vorrede zum »Atta Troll« erläutert Heine, weshalb »der Mohrenfürst so belustigend auf mich wirkte« (Universal-Bibliothek Nr. 2261 [3], S. 8).

67 *Spektakelstück:* aufsehenerregendes Schauspiel, mit dem Beisinn ›roh, lärmend‹ (lat. spectaculum, zu: spectare ›schauen, betrachten‹).

68 *Idylle:* (griech.) Dichtform zur Schilderung friedvoll-bescheidenen, naturverbundenen Daseins einfacher Menschen (Hirtendichtung); danach allg.: Zustand eines friedlichen und einfachen, meist ländlichen Lebens.

85–87 *Schwöre ... Wie er Eliesern schwören ließ:* In der Handschrift gibt Heine als Quelle an: 1. Mose 24 (der Name des schwörenden Knechtes wird 1. Mose 15,2 genannt: Elieser).

96 *Erzväterbrauche:* ›Erzväter‹ sind die Stammväter Israels (im Alten Testament: Abraham, Isaak, Jakob).

Caput XXVI

2f. *in die Krone / Stieg ihr der Rum:* Vgl. Erl. zu Cap. XXIII,65–68 sowie die sprichwörtl. Redensart ›einen in der Krone haben‹ für: betrunken sein.

9f. *Mein Vater ... Carolus Magnus:* Karl der Große soll wenige Jahre vor seinem Tod (814) an der Elbemündung die ›Hammaburg‹ errichtet haben, aus der sich die Stadt Hamburg entwickelte.

12 *Friedrich der Große:* In der Reinschrift stand zunächst: »Friedrich Wilhelm« (d.i. Friedrich Wilhelm IV. von Preußen, 1840–61).

13f. *Der Stuhl ... Krönung ruhte:* Der Kaiserstuhl Karls des Großen steht noch heute in der Pfalzkapelle des Aachener Münsters, dem Krönungsort der dt. Könige 936 bis 1531. Karl selbst wurde Weihnachten 800 in Rom zum Kaiser gekrönt.

19 *Rothschild:* aus Frankfurt a.M. stammende Bankiersfamilie; mit dem Pariser Bankier James Rothschild (1792–1868) war Heine persönlich bekannt.

29–33 *Zauberkessel ... Zukunft Deutschlands erblickst du:* Die Nachtstuhlepisode ist Parodie auf das Delphische Orakel: Auf einem Dreifuß über einer Erdspalte sitzend, aus der angeblich betäubende Dämpfe aufstiegen, verkündete die Priesterin Pythia im Zustande der Verzückung ihre Orakelsprüche. – Am 8. 8. 1845 schreibt Arnold Ruge an Heine: »Wissen Sie, daß man in Deutschland hie und da sagt: ›auf Deutschlands Zukunft‹ gehn? Das haben Sie angestiftet« (HSA XXVI,135). Georg Büchner hat in seinem 1836 entstandenen Lustspiel »Leonce und Lena« Heines Fäkalmetaphern (vgl. auch V. 52 *Gruben*) antizipiert, indem er zwei fiktive Kleinstkönigreiche »Popo« und »Pipi« nannte.

34 *Phantasmen:* Trugbilder (zu ›Phantasie‹).

36 *Miasmen:* giftige Dünste, Pesthauch (zu griech. Miasma ›Verunreinigung‹).

48 *Juchten:* urspr. nur in Rußland hergestelltes gegerbtes Leder; in Heines Werk ist der ›Juchtengeruch‹ häufig dem Despotismus zaristischer Prägung zugeordnet.

52 *sechsunddreißig Gruben:* Anspielung auf die *drei Dutzend* Bundesstaaten (vgl. Cap. XI,38).

53 *was Saint-Just gesagt:* Der frz. Revolutionär Louis Antoine de Saint-Just (1767–94) soll gesagt haben: »Ce n'est pas avec du musc et de l'eau de rose que l'on peut guérir la

grande maladie sociale« (zit. nach HSS IV,1043). Unter der ›großen Krankheit‹ (V. 55) sind demnach die sozialen Mißstände zu verstehen; in der Reinschrift lautete V. 55 zunächst: »Man mache keine Revoluzion«.

54 *Weiland:* vormals, einst (aus mhd. wîlen, wîlent).
Wohlfahrtsausschuß: Übersetzung von frz. ›Comité de Salut public‹; das oberste Regierungsorgan während der ›Schreckensherrschaft‹ (1793/94) im revolutionären Frankreich.

56 *Moschus:* Drüsensekret der männl. Moschustiere, in der Feinparfümerie verwendet.

67 *Bacchantisch:* ausgelassen, verzückt, trunken (wie die Bacchanten, die Verehrer des antiken Weingottes Bacchus).

68 *Ekstase:* (griech./lat.) Entrückung, Verzückung, höchster Grad der Begeisterung.

83 *Hymenäen:* (griech.) Hochzeitslieder; so genannt nach dem Ruf Hymen, einem melodischen Refrain, der in den antiken Hochzeitsliedern erklang. Vgl. den *Schluß der »Vögel«* (abgedruckt Kap. V), den Heine in diesem Caput ›ein bißchen nachahmt‹ (s. Cap. XXVII,29–32).

87 *Fackeltanz:* Im antiken Kult wurden Fackeln bei den Hochzeitsriten verwendet (vgl. den Schluß der »Vögel«); im Mittelalter bildeten Fackeltänze den Abschluß von Hochzeitsfeiern.

89 *der hoch- und wohlweise Senat:* das höchste Regierungsorgan in Hamburg, der »Hochedle, Hochweise Rat«; die Senatoren wurden »Hoch- und Wohlweise Herren« tituliert.

90 *die Oberalten:* die 15 Mitglieder eines an der Gesetzgebung der Hansestadt beteiligten Ältestenrats.

94 *Corps der Diplomaten:* die Gesamtheit der bei einem Staat beglaubigten diplomatischen Vertreter fremder Staaten (lat. corpus, frz. corps ›Körper, Körperschaft‹).

97 *Deputation:* (frz.) Abordnung.

98 *Rabbiner:* von jüdischen Gemeinden berufene Lehrer, meist zugleich Prediger.

101–104 *Die Schere ... beste Stelle:* »Die Andeutung eines für die Verstümmelung von Büchern – nicht nur von Heine – öfter gebrauchten obszönen Vergleichs formulierte Heine wohl absichtlich so vage wie möglich« (Kaufmann, »Politisches Gedicht«, S. 158). In der Reinschrift lauteten die Verse zunächst: »Und schneidet dir ab ... ach Gott! er streicht / Im Buch die beste Stelle.« Angeregt sein dürfte die Strophe durch Aristophanes' Komödie »Die Vögel« (V. 1702–05): »Wegen dieser Zungendrescher, / Dieser eklen Gorgiassippschaft, / Schneidet man den Opfertieren / In Attika die Zunge aus« (Reclams Universal-Bibliothek Nr. 1379 [2], S. 79).

Caput XXVII

19 *Grazien:* lat. Gratiae; die von den Griechen ›Chariten‹ genannten Göttinnen, die Anmut, Liebreiz und Frohsinn verkörpern.

20 *Leier:* Attribut des Apollo als Musenführer; Symbol der Dichtkunst.

22f. *Mein Vater ... Aristophanes:* Heine sieht sich in der Nachfolge des griech. Komödiendichters Aristophanes (s. Anm. zum Vorwort).

24 *Liebling der Kamönen:* ›Kamönen‹ sind (altröm.) weissagende Quellnymphen; später mit den griech. Musen gleichgesetzt. Als »ungezognen Liebling der Grazien« bezeichnet Goethe Aristophanes in seiner Umdichtung der »Vögel« (1787).

30f. *nachzuahmen / Den Schluß der »Vögel«:* Am Schluß von Aristophanes' Komödie »Die Vögel« heiratet *Paisteteros*/Peithetairos (V. 26) im Vogelstaat ›Wolkenkuckucksheim‹ die Himmelskönigin *Basileia* (V. 27), das ›fürstliche Kind des Zeus‹. In parodistischer Anlehnung an die von ihm als Vermählung der ›Narrheit‹ mit der ›Macht‹ gedeutete Schlußszene der »Vögel« läßt Heine seine Göttin Hammonia in Cap. XXVI »ausmalen, welch glückliches Leben ihn in dem Wolkenkuckucksheim einer friedlichen Gegenwart erwartet. Wie bei Aristophanes die himmlischen, so machen in der Vision der Hammonia die irdischen Götter Frieden mit ihrem Antagonisten [...]. Aber es kommt auch – und damit schüttelt der Dichter diese Verlockungen ab – der Zensor und streicht, wie immer, ›die beste Stelle‹. Damit geht der Spuk der erträumten Hochzeit Heines mit dem Philistertum zu Ende« (Kaufmann, »Politisches Gedicht«, S. 158).

33–35 *Die »Frösche« ... Berlin:* Im Winter 1843/44 war in Berlin unter Ludwig Tiecks Leitung Aristophanes' Komödie »Die Frösche« in einer Bearbeitung von August Kopisch (1799–1853) aufgeführt worden.

36 *Ergetzung:* Bis ins 19. Jh. schwankt der Schreibgebrauch zwischen (der älteren Form) ›ergetzen‹ und ›ergötzen‹.

37 *Der König:* der preuß. König Friedrich Wilhelm IV. (1840–61).

39f. *Den Alten ... / Modernes Froschgequacke:* Der ›Alte‹ ist Aristophanes, »dessen Chor der Frösche eine Satire auf lebende Zeitgenossen darstellte, der überhaupt immer die lebendigste Gegenwart darstellte, also ›modernes Froschgequacke‹ liebte« (Kaufmann, »Politisches Gedicht«, S. 96).

47–50 *begleitet ... von Gendarmen ... wedeln:* Heine spielt vermutlich auf die Ausweisung des Dichters Georg Herwegh aus Preußen an (29. 12. 1842); im Gedicht »Georg Herwegh« (1843) heißt es ähnlich: »Ein schimpfender Bedientenschwarm, / Und faule Äpfel statt der Kränze – / An jeder Seite ein Gendarm, / Erreichtest endlich du die Grenze« (HSS IV,422).

58–60 *Flammen ... Jovis Blitz ... Poet erschaffen:* Anspielung auf den Schluß der »Vögel« (V. 1744ff.; vgl. Kap. V). *Jovis* ist Gen. zu ›Jupiter‹ (röm. Himmelsgott; als Herr des Blitzes und des Donners dem griech. Zeus entsprechend).

62 *Des ganzen Olymps Gelichter:* Im griech. Mythos ist der Olymp der Sitz der Götter, die hier salopp abwertend *Gelichter* genannt werden.

63 *Jehova:* der Gott Israels (Jahve).
73f. *kommt Christus herab ... Hölle:* Nach dem sog. Nicodemus-Evangelium (2./3. Jh. n. Chr.) teilen die auferstandenen Söhne des Simeon u.a. dem Nicodemus mit, daß Propheten und Patriarchen den Ruf an Satan und Luzifer hören, die Pforten zu öffnen; danach erscheint Christus als Auferstandener, die Riegel der Hölle zerbrechen, und die Tore tun sich auf. Der entsprechende Abschnitt ging ein in die häufig übersetzte »Legenda Aurea« des Jacobus de Voragine (um 1230 bis 1298); dargestellt wurde die ›Höllenfahrt Christi‹ u.a. von Dürer, Lukas Cranach und Fra Angelico.
80 *Des Welterlösers Verzeihung:* Die Mehrheit der Kirchenväter und die mittelalterliche Kirche sahen den Zweck der ›Höllenfahrt Christi‹ in der Befreiung (Erlösung) der Gerechten des Alten Bundes (d.h. der vor Christus Verstorbenen) aus der Vorhölle.
81f. *Hölle des Dante ... Terzetten:* Gemeint ist der »Inferno« (Hölle) überschriebene erste Teil der »Divina Commedia« (»Göttliche Komödie«), in dem Dante Alighieri (1265–1321) die Höllenqualen ihm verhaßter oder feindseliger Zeitgenossen schildert. – Das Epos ist in Terzinen, einer dreizeiligen Strophenform, abgefaßt; ›Terzette‹ nennt man die ebenfalls dreizeiligen Schlußstrophen eines Sonetts.
86 *singenden Flammen:* bewußt – im Blick auf die Tätigkeit des Dichters – statt ›sengenden Flammen‹.

Zusatzstrophen des Separatdrucks
Caput IV

88,1f. *Der Schneiderkönig ... Räten:* die drei Wiedertäufer-Führer (s. Anm. zu IV,86–88). Jan van Leiden, von Beruf Schneider, wurde in Münster zum »König des Neuen Zion« gekrönt; ein zeitgenössisches Porträt nennt ihn »König der Wiedertäufer«.
88,5–7 *Balthasar ... Melchior ... Gaspar:* Nach der christl

Legende – etwa seit dem 6. Jh. – die Namen der Heiligen Drei Könige (›Gaspar‹ – statt Kaspar – wohl unter Einfluß von frz. Gaspard). Im bibl. Bericht (Matth. 2) ist lediglich von ›Weisen aus dem Morgenland‹ die Rede; erst spätere Zeit hat sie zu Königen gemacht und ihre Zahl entsprechend der Dreizahl der Gaben (Gold, Weihrauch und Myrrhe) festgelegt.

88,9 *Die Heil'ge Allianz:* Anspielung auf das 1815 zwischen dem russ. Zaren, dem Kaiser von Österreich und dem König von Preußen geschlossene Bündnis, das Metternich zu einem Instrument der europ. Reaktion machte. In der Gründungsurkunde der ›Heiligen Allianz‹ bekunden die Unterzeichner den Entschluß, ihre Innen- und Außenpolitik auf »die erhabenen Wahrheiten zu gründen, welche uns die unvergängliche Religion des göttlichen Heilands lehrt«.

88,10 *kanonisieret:* in den Kanon, das Verzeichnis der Heiliggesprochenen, aufgenommen.

88,14 *Gäuche:* mhd. gouch ›Narr, Tor‹.

88,15–17 *Konstitution ... nicht Wort gehalten:* Während der Befreiungskriege gegen Napoleon (1813–15) gegebene Verfassungsversprechen waren in Preußen und Österreich nicht eingelöst worden; Artikel 57 der »Wiener Schlußakte« (1820) legte vielmehr fest, daß die Staatsgewalt in den Bundesstaaten nicht durch eine Verfassung (zwischen dem Fürsten und einer Volksvertretung) geteilt werden dürfe.

88,18–20 *Herr Gaspar ... die Toren:* Auf Alexander I. von Rußland (1801–25) gemünzt, der von einem schwärmerisch-religiösen Sendungsbewußtsein erfüllt war (vgl. V. 88,7: er soll in *der Mitte* hängen, wie Christus zwischen den Schächern). Ab 1815 ließ er durch General Araktschejew (1769–1834) in Rußland ein Regime errichten, in dem bürokratische Akribie mit Despotie gepaart war (Militärkolonien).

II. Textvarianten

Mitgeteilt werden zusammenhängende Versgruppen, die Heine vor Beginn der Drucklegung verworfen oder wesentlich verändert hat. Eine Reihe für das Textverständnis wichtiger Einzelvarianten sind in die Wort- und Sacherklärungen (Kap. I) eingearbeitet. Zu vergleichen ist Kap. III: Dokumente zur Entstehungs- und Druckgeschichte.

1. Varianten der Reinschrift

buchstabengetreue Wiedergabe nach dem
Faksimile-Druck

Cap. III hatte ursprünglich folgenden Schluß (nach V. 60):

Auch wenn es Krieg giebt müßt Ihr Euch   60,1
Viel leichteres Kopfzeug kaufen;
Des Mittelalters schwerer Helm
Könnt Euch geniren im Laufen. – – – –

Zu Aachen, am Posthaus, fand ich auch   60,5
Den häßlichen Vogel wieder,
Der königl. Preuß. Adler genannt;
Sah giftig auf mich nieder.

Wie sieht sie aus so ekelhaft,
Die schwarze geflügelte Kröte!   60,10
Ich fühlte wie sich im Magen mir
Herum das Essen drehte.

Du häßlicher Vogel, wirst du einst
Mir in die Hände fallen,
So rupfe ich dir die Federn aus   60,15
Und hacke dir ab die Krallen.

Den nackten Balg den will ich hoch
Auf einem Pfahle spießen –
Ihr rheinischen Schützen kommt dann herbey
Zum lustigen Vogelschießen! 60,20

Wer mir den Vogel herunterschießt
Soll Kron' und Zepter haben;
Am Galgen soll aber der Schinderknecht
Das todte Aas begraben.

Diese sechs Strophen sind in der Reinschrift gestrichen. An den unteren Rand der beiden Blätter schrieb Heine drei Ersatzstrophen, die gemeinsam mit den V. 60,13–16 (für die die Streichung nachträglich wieder aufgehoben wurde) in den »Neuen Gedichten« dieses Caput beschließen.

Cap. VII
Nach V. 28 ist folgende Strophe gestrichen:

Nur wachend, am Tage, ist uns nicht wohl,
Wir fühlen uns matt und ledern –
Sie hat sich gemausert, die arme Seel
Es fehlen ihr die Federn

Cap. XI
V. 10–12 lauteten ursprünglich:

So wären wir römisch geworden
Statt preußisch, niemand bekäme heut
Den rothen Adlerorden[1];

Cap. XIV
V. 109–112 lauteten zunächst:

Die Mörder, die den Meuchelmord
An der deutschen Freyheit verübten,
Die uns vergiftet die Vaterlandsluft
Und alles was wir liebten –

1 1792 bis 1918 der zweithöchste preußische Orden.

Cap. XXI
Statt V. 41–44 hieß es ursprünglich:

> Die Hülfsgelderkassa wurde geführt
> Von wahren Christen und Frommen –
> Erfahren hat nie die linke Hand
> Wieviel die rechte genommen.

Cap. XXII
Die Verse 33–48 finden sich auf einem separaten Blatt. Nach V. 44 folgt eine später gestrichene Strophe:

> Ob noch der kleine Meyer[2] lebt,
> Das kann ich wahrhaftig nicht sagen;
> Er fehlte mir, doch ich vergaß
> Bey Cornet[3] nach ihm zu fragen.

Cap. XXIII
Nach V. 56 folgt eine später gestrichene Strophe:

> Was ist der Mensch? Ein hohler Begriff,
> Nur eine abstrakte Hülle!
> Concreten Inhalt verleiht ihm erst
> Des Rheinweins edle Fülle.

Nach V. 84 hieß es ursprünglich:

> Du suchst vergebens! Du findest nicht mehr 84,1
> Die lange Male, die dicke
> Posaunengel-Hanchen, du findest auch nicht
> Die Braunschweiger Mummen[4]-Friedrike.

> Du suchst vergebens! Du findest nicht mehr 84,5
> Den Schimmel, die falsche Marianne,

2 A. J. Heinrich Meyer (1788–1859), Hamburger Theaterkritiker und stadtbekanntes Original.
3 Julius Cornet (1793–1860), seit 1841 einer der Direktoren des Hamburger Stadttheaters.
4 Braunschweiger Mumme ist ein »1434 zuerst von Christian Mumme [in Braunschweig] gebrautes Bier« (Brockhaus I, 1837, S. 316).

Pique-As-Louise, die rothe Sophie,
Auch nicht die keusche Susanne.

Du findest die Strohpuppenjette nicht mehr,
Nicht mehr die große Malvine, 84,10
Auch nicht die Kuddelmuddel-Marie,
Auch nicht die Dragonerkathrine!

Das Leben verschlang sie, das Ungethüm,
Die unersättliche Hyder;
Du findest nicht die alte Zeit 84,15
Und die Zeitgenössinnen wieder.

Seitdem du uns verlassen hast,
Hat manches sich hier verwandelt;
Es wuchs ein junges Volk heran,
Das anders fühlt und handelt. 84,20

Die Reste der Vergangenheit
Verwittern und verschwinden –
Du wirst jetzt auf der Schwiegerstraß[5]
Ein neues Deutschland finden!«

Wer bist du – rief ich – daß du kennst 84,25
Die Namen jener Damen,
Die an des Jünglings Bildung einst
Den thätigsten Antheil nahmen?

Ja, ich gesteh, es hängt mein Herz
Ein bischen nach dem alten 84,30
Deutschland noch immer, ich denke noch gern
An die schönen verlornen Gestalten.

Der Fortschrittsfahne folg' ich getreu,
Und trage sie selber zuweilen,

5 1829 angelegte Straße, in der sich zahlreiche Bordelle ansiedelten (vgl. Kruse, »Heines Hamburger Zeit«, S. 322).

Diese insgesamt 34 Verse sind in der Reinschrift gestrichen und ersetzt durch drei auf den unteren Rand der Blätter geschriebene Strophen (= V. 85–96).
Die sich V. 84,34 unmittelbar (d.h. ohne Strophenabstand) anschließenden Verse hatten zunächst folgenden Wortlaut (vgl. Druckfassung V. 97–100):

> Doch du, wer bist du? Du scheinst mir bekannt,
> Wie ein Bild aus alten Träumen –
> Wo wohnst du? kann ich mit dir gehn?
> Laßt uns nicht lange säumen.

Cap. XXIV
V. 53–56 lauten abweichend:

> Auch einem gewissen Griesgram hat
> Gar mancher Seufzer gegolten;
> Ich dachte mit wahrer Wollust daran
> Wie oft er mich ausgescholten.

Cap. XXVI
Nach V. 52 ist eine Strophe gestrichen:

> Es roch nach Katzenjammererguß
> Und nach gehenkten Schuften –
> So mancher der schlecht im Leben riecht,
> Wie mußt er im Tode duften!

Nach V. 68 sind folgende drei Strophen gestrichen:

> Es ist ein König in Thule[6], der hat 68,1
> Ein'n Becher, es geht ihm nichts drüber,
> Und wenn er aus dem Becher trinkt,
> Dann gehen die Augen ihm über.
>
> Dann steigen ihm Gedanken auf, 68,5
> Die kaum sich ließen ahnden,

6 Gemeint ist Friedrich Wilhelm IV. von Preußen (1840–61), der hier wie in dem 1844 entstandenen Gedicht »Der neue Alexander« (HSS IV,456) mit dem trinkfreudigen König der Goetheschen Ballade verglichen wird.

Dann ist er kapabel und dekretirt,
Auf dich, mein Kind, zu fahnden.

Geh' nicht nach Norden und hüte dich
Vor jenem König in Thule, 68,10
Hüt' dich vor Gensdarmen und Polizey,
Vor der ganzen historischen Schule[7].

Cap. XXVII
Vor V. 1 steht folgende später gestrichene Strophe:

Deutschland beschäftigt sich des Tags
Mit lauter Philisterlapalien,
Doch ist es zaubergroß in der Nacht,
Dann ist es ein zweites Thessalien[8].

2. *Varianten aus Arbeitsmanuskripten*

Im Nachlaß des Dichters fand sich ein erstmals 1869 unter dem Titel »Abschied von Paris« veröffentlichtes Gedicht, das vermutlich ursprünglich als Einleitungskapitel zum »Wintermärchen« gedacht war:

Ade, Paris, du theure Stadt,
Wir müssen heute scheiden,
Ich lasse dich im Überfluß
Von Wonne und von Freuden.

Das deutsche Herz in meiner Brust
Ist plötzlich krank geworden,
Der einzige Arzt, der es heilen kann,
Der wohnt daheim im Norden.

7 Heine denkt an die von Friedrich Karl von Savigny (1779–1861) begründete historische Rechtsschule, die das weitere Eindringen des römischen Rechts in Deutschland förderte und insofern ein Element der Reaktion darstellte.
8 Landschaft in Nordgriechenland, die im antiken Mythos eine bedeutende Rolle spielt; Schauplatz der »Klassischen Walpurgisnacht« in Goethes »Faust«.

Er wird es heilen in kurzer Frist,
Man rühmt seine großen Kuren;
Doch ich gestehe, mich schaudert schon
Vor seinen derben Mixturen.

Ade, du heitres Franzosenvolk,
Ihr meine lustigen Brüder,
Gar närrische Sehnsucht treibt mich fort,
Doch komm' ich in Kurzem wieder.

Denkt euch, mit Schmerzen sehne ich mich
Nach Torfgeruch, nach den lieben
Heidschnucken der lüneburger Heid',
Nach Sauerkraut und Rüben.

Ich sehne mich nach Tabaksqualm,
Hofräthen und Nachtwächtern,
Nach Plattdeutsch, Schwarzbrot, Grobheit sogar,
Nach blonden Predigerstöchtern.

Auch nach der Mutter sehne ich mich,
Ich will es offen gestehen,
Seit dreizehn Jahren hab' ich nicht
Die alte Frau gesehen.

Ade, mein Weib, mein schönes Weib,
Du kannst meine Qual nicht fassen,
Ich drücke dich so fest an mein Herz,
Und muß dich doch verlassen.

Die lechzende Qual, sie treibt mich fort
Von meinem süßesten Glücke –
Muß wieder athmen deutsche Luft,
Damit ich nicht ersticke.

Die Qual, die Angst, der Ungestüm,
Das steigert sich bis zum Krampfe.
Es zittert mein Fuß vor Ungeduld,
Daß er deutschen Boden stampfe.

Vor Ende des Jahres bin ich zurück
Aus Deutschland, und ich denke
Auch ganz genesen, ich kaufe dir dann
Die schönsten Neujahrsgeschenke.

Heine: Letzte Gedichte und Gedanken. Hamburg: Hoffmann und Campe, 1869. S. 61–63.

Cap. XIX
Statt V. 21–24 waren zeitweilig folgende zwei Strophen geplant:

Besonders gefiel mir ein großer Platz
Von stattlichen Häusern umgeben
Nur die Staffage fehlte mir dort
Das Volk, die Menschen, das Leben

Ich glaube gar, es verliehe dem Platz
Noch eine schönere Miene
Wenn in der Mitte als Zierrath stünd
'ne kleine Guillotine.

V. 29–36 hatten in diesem Arbeitsmanuskript zunächst folgenden Wortlaut:

Mein Cicerone sprach: hier wohnt
Der König Ernst, ein rechter
Englischer Torry, jagdjunkerlich stolz
Ein hagerer Volksverächter.

Idyllisch sicher haußt er hier
Denn besser als alle Gewehre
Beschützet ihn der manglende Muth
Der deutschen Revoluzionäre.

Heine: Deutschland. Ein Wintermärchen. Faksimiledruck nach der Handschrift des Dichters. Hrsg. von Friedrich Hirth. Berlin: Lehmann, 1915, S. 33.

Cap. XXVI
Noch als die »Neuen Gedichte« schon im Druck vorlagen, hat Heine erwogen, nach V. 52 folgende Strophen einzufü-

gen (über den Versen notierte er: »Seite 412. nach der zweiten Strophe«):

Gar mancher der schlecht im Leben riecht,
Wie wird er erst künftig duften
Am Galgen! Es roch nach Blut und Koth
Und nach gehenkten Schuften.

Die Äser, die schon vermodert längst
Und nur noch historisch gestunken,
Sie dünstelten aus ihr letztes Gift,
Halb Todte, halb Halunken.

Und gar das heilige Gott-Gespenst,
Die auferstandene Leiche,
Die ausgesogen das Lebensblut
Von manchem Volk und Reiche,

Sie wollte noch einmal verpesten die Welt
Mit ihrem Verwesungshauche!
Entsetzliche Würmer krochen hervor
Aus ihrem faulen Bauche –

Und jeder Wurm ein neues Vampier,
Das wieder tödtlich gerochen,
Als man ihm durch den schnöden Leib
Den heilsamen Pfahl gestochen.[9]

Ebd. S. 39 f.

9 Anspielung auf den noch im 19. Jahrhundert in Osteuropa verbreiteten Volksglauben, wonach man Vampire unschädlich machen kann, indem man ihnen einen Pfahl durch das Herz treibt.

III. Dokumente zur Entstehungs- und Druckgeschichte

Äußerer Entstehungsanlaß des »Wintermärchens« ist Heines Deutschlandreise im Jahre 1843, der ersten seit der Übersiedlung nach Paris (Mai 1831). Er will in Hamburg Geschäftliches mit seinem Verleger Julius Campe (1792–1867) regeln und Verwandte besuchen, vor allem die Mutter, deren Wohnung im Mai 1842 Opfer eines Großbrandes geworden ist. Heine verläßt Paris am 21. Oktober und erreicht Hamburg – über Brüssel, Münster, Osnabrück und Bremen reisend – am 29. Oktober. Die Rückfahrt nach Frankreich (7.–16. 12. 1843) führt dann über jene Stationen, die auch im Epos – in umgekehrter Reihenfolge – die Reiseroute markieren: Aachen–Köln–Hagen–Unna–Teutoburger Wald–Minden–Bückeburg–Hannover.
Mit Brief vom 20. Februar 1844 kündigt Heine seinem Verleger das neue Werk an:

»Hab seitdem ich zurück viel gearbeitet z. B. ein höchst humoristisches Reise-Epos, meine Fahrt nach Deutschland, ein Cyklus von 20 Gedichten, gereimt, alles gottlob fertig; werde eine Porzion Prosa hinzuschreiben und Ihnen also recht bald das nothwendige Bändchen geben. Sie werden sehr mit mir zufrieden seyn und das Publikum wird mich in meiner wahren Gestalt sehen. Meine Gedichte, die neuen, sind ein ganz neues Genre, versifizirte Reisebilder, und werden eine höhere Politik athmen als die bekannten politischen Stänkerreime. Aber sorgen Sie frühe für Mittel etwas was vielleicht unter 21 Bogen ohne Censur zu drucken.«

Heine: Säkularausgabe (HSA). Werke, Briefwechsel, Lebenszeugnisse. Hrsg. von den Nationalen Forschungs- und Gedenkstätten der klassischen deutschen Literatur in Weimar und dem Centre National de la Recherche Scientifique in Paris. Berlin: Akademie-Verlag / Paris: Editions du CNRS, 1970 ff. Bd. 22. S. 96.

Aufgrund der Karlsbader Beschlüsse von 1819 waren alle Druckschriften bis zu 20 Bogen (1 Bogen = 16 Seiten im Oktavformat) der Präventivzensur unterworfen, d.h., sie mußten der Zensurbehörde im Manuskript oder als Druckfahnen vorgelegt werden (Schriften über 20 Bogen Umfang waren zwar zensurfrei, konnten aber nachträglich verboten und von den Behörden eingezogen werden).
Zensur-Sorgen sind auch das Hauptthema des Briefs, den Heine am 17. April 1844 an Campe schreibt:

»Seit 4 Wochen bin ich wieder von meinem Augenübel hergestellt. Vorher war ich fast blind – Nicht Schreiben können, und was noch schrecklicher ist, nicht lesen können – Sie haben keinen Begriff von dem Unmuth der mich verzehrte. Zum Glück war mein großes Gedicht fast vollendet. Nur der Schluß fehlte, und ich habe ihn vielleicht sehr nothdürftig ersetzt. Seitdem beschäftigte ich mich mit dem Abschreiben dieser Arbeit und das schöne, reinliche Manuskript liegt jetzt vor mir. Ich will es nur noch mahl durchgehen, mit der Lupe, und dann schicke ich es Ihnen direkt zu über Havre. Es ist ein gereimtes Gedicht, welches, vier Strophen die Seite berechnet, über 10 Druckbogen betragen mag und die ganze Gährung unserer deutschen Gegenwart, in der keksten, persönlichsten Weise ausspricht. Es ist politisch romantisch und wird der prosaisch bombastischen Tendenzpoesie[1] hoffentlich den Todesstoß geben. Sie wissen ich prahle nicht, aber ich bin diesmal sicher daß ich ein Werkchen gegeben habe, das mehr furore machen wird als die populärste Broschüre und das dennoch den bleibenden Werth einer klassischen Dichtung haben wird. [...]
Sobald Sie es gelesen, werden Sie leicht einsehen, daß wenn es als kleines Büchlein von 10 oder 12 Bogen erscheint, die Vogue[2] ungeheur seyn wird, daß es ein großes Geschäft ist, daß der enormste Absatz in diesem Momente sicher ist. Aber

1 Gemeint sind vor allem die politischen Gedichte Georg Herweghs, Hoffmanns von Fallersleben und Franz Dingelstedts. Vgl. Heines Vorrede zum »Atta Troll«.
2 (frz.) Beliebtheit, Begeisterung.

»Die zahme Presse«, Karikatur auf die Zensur

zugleich werden Sie sehen, daß dieses Büchlein durch keine Censur gehen darf, und wahrlich, ich habe bey der Abfassung auf alle Censur verzichtet und mir für den schlimmsten Fall einen Abdruck in Paris gedacht. – Also von Censur kann gar nicht die Rede seyn. Ob Sie Ihre Firma auf den Titel setzen sollen, mögen Sie selbst beurtheilen; ich glaube Sie können's. Nun stellt sich also die Frage: können Sie ein Buch unter 20 Bogen dort ohne Censur gedruckt bekommen? Ist dieses nicht der Fall, so muß ich das Buch durch Zufügung von Alotria zu 20 Bogen anschwellen [...]. Schreiben Sie mir *umgehend* über diesen Punkt, welcher der wichtigste. Unterdessen schicke ich Ihnen das Manuskript, zu nächst auf höchste Verschwiegenheit rechnend, und dann meine Intressen Ihnen unbedingt ans Herz legend. Ich muß ganz sicher auf Sie zählen können, dann kann ich auch Großes thun. Dann habe ich Muth und sogar Talent. Ueber Honorar habe ich, ich schwör es Ihnen, noch nicht nachgedacht, und als die wichtigste Frage lag mir der unverstümmelte Druck meines Gedichtes im Sinn. In dieser Beziehung kann ich nicht umhin Ihnen zu gestehen, daß Personen, die keine Zeile von meinem Gedichte kennen, aber den Zeitinhalt ahnden, mir die glänzensten Proposizionen[3] gemacht es hier in Paris drucken zu lassen. – Ich habe wie gesagt, niemandem eine Zeile von meinem Gedichte gezeigt, lasse auch keine Zeile (obgleich manche hochpoetisch unverfängliche Stücke drin sind) bey Laube[4] drucken oder anderswo. Kurz ich will überraschen, einen Schlag machen – und rechne auf Ihre Klugheit und Freundschaft. Auch Hamburg habe ich (zu Ihrem *Ergötzen* und *Nutzen*) mit harmlosem Humor bedacht. – Liebster Campe! nur stumm wie ein Fisch. – Der Titel des Buches ist: ›Deutschland, ein Wintermährchen.‹«

HSA XXII,99–101.

3 (lat./frz.) Vorschläge, Angebote.

4 Heinrich Laube (1806–84), der mit Heine gut bekannte Redakteur der Leipziger »Zeitung für die elegante Welt«, in der im Frühjahr 1843 die erste Fassung des Versepos »Atta Troll« erschienen war.

Campe antwortet am 22. April 1844:

»Ihr Werk erwarte ich, *ich* muß es sehen und würdigen, was es verfängliches führt. Censur *muß* seyn. Aber Sieveking[5] ist ein so sehr gescheuter und wirklich raisonabler Mann, daß ich die Absicht habe, es ihm privatim vorzulegen. *Gefällt es ihm,* sind keine Bosheiten darin, die höheren Ortes Reclamationen unabweißlich zur Folge haben müßten: dann giebt er das Imprimatur[6]. Hundert-Male streicht Hoffmann[7] in seinem Maulwurfs-Gesichtskreise; Sieveking stellt es wieder her, wenn die Appellation an ihn gerichtet wird. Wie gesagt, es fragt sich, um den Grundgedanken; *davon* hängt alles ab.
Sieveking ist *nicht* ängstlich, sondern wirklich großartig in Bezug auf solche Gegenstände. Und ich darf frei zu ihm sprechen; er consultiert mich zu weilen um Gegenstände der Presse. Er steht an der Spitze der Druckerei des Rauhen Hauses, das sich mit Verlag beschäftigt. Natürlich rathe ich ihm nach der redlichsten Weise, zu oder ab, wie ich in derselben Lage in meinem Intereße handeln würde. Daraus sehen Sie, daß ich ihn nicht, wie einer Behörde in einem extra Fall, wie dieser ist, gegenüber stehe, sondern vertraulich über die Sache mich verständigen zu können hoffen darf.«

HSA XXVI,100.

Im Brief vom 3. Mai 1844 versucht Heine dem Verleger erneut klarzumachen, daß sein Reiseepos die Zensur nicht passieren könne, und schlägt ihm vor, es in den in Vorbereitung befindlichen Gedichtband (die »Neuen Gedichte«) aufzunehmen:

»Ihre Briefe vom 13 und 22 April habe ich erhalten und aus letzterem ersehen, daß Sie Alles was ich Ihnen über mein Opus geschrieben, nicht begriffen haben, denn sonst würden

5 Karl Sieveking (1787–1847), der seit 1837 der Hamburger Zensurkommission vorstand.
6 (lat.) Druckerlaubnis.
7 Friedrich Lorenz Hoffmann (1790–1871), 1822–48 Zensor in Hamburg (vgl. Erl. zu Cap. XXII,25).

Sie mir die Zumuthung nicht machen es durch Siveking durch die Censur zu bringen. Wenn dieser mein Vater wär könnte er mir das Imprimatur nicht ertheilen; dazu kommt, daß das Gedicht am unleidlichsten Preußen und dessen König berührt, wo Siveking also aus Staatsgründen und Privatsympathie nicht gut für mich seyn würde. Von Censur ist keine Möglichkeit. Das Gedicht muß als 21 Bogen ohne Censur gedruckt werden, oder ich muß, wenn Ihnen dies nicht möglich ist, das Gedicht hier oder in der Schweitz herausgeben. Anders sehe ich hier keinen Ausweg. *Mit* Censur *kann* es nicht gedruckt werden, obgleich ich bey der Durchsicht noch die grellsten Stellen strich, Ihrentwegen, auch Ihrentwegen bey der Conzepzion mich zügelte und gewiß auch noch jetzt ein Uebriges thäte. Denn ich habe ja das Ganze zunächst Ihrentwegen geschrieben.
Melden Sie mir daher umgehend ob Sie das Gedicht, durch Zugabe auf 21 Bogen ausgedehnt, *ohne* Censur drucken können. Ist dies durchaus nicht möglich, so ist es rein überflüssig, daß ich Ihnen das Manuskript einschicke; können Sie es aber in angedeuteter Weise drucken, so schicke ich Ihnen das Manuskript unverzüglich und es bleibt dann nur die Frage: *was* ich hinzugebe. Ich hatte Ihnen in dieser Beziehung den Atta Troll vorgeschlagen, aber bey näherem Erwägen Ihrer Interessen habe ich ausgefunden, daß es viel besser wäre, wenn ich das neue Gedicht an die Stelle des Atta Troll in den 2ten Gedichteband aufnehme. Ich sichere dadurch diesem 2ten Band die ungeheuerste Vogue, ich gebe ihm den einen Schwung über den Sie erstaunen werden.«

HSA XXII,103f.

Campe, der sich anläßlich der Buchmesse in Leipzig aufhält, antwortet am 20. Mai 1844:

»Ihr Schreiben v 3 d ist mir hierher gesandt. Sie beschuldigen mich darin, daß ich den vorherigen Brief nicht begriffen –. Begriffen habe ich ihn, aber ich setzte voraus, daß Sie in der neuen Publication eine solche Haltung beobachtet hätten, wie man in Deutschland, der Censur gegenüber, sich zu be-

wegen gewohnt ist, und wie es unter allen Umständen der Verstand gebietet, wenn eine *gesammt Ausgabe vorbereitet:* wofür man vor allen Dingen zuvörderst eine *freie Praxis haben muß!* [...]
Wenn ich Ihnen Sieveking als Censor vorschlug, nannte ich Ihnen den aller gescheutesten und humansten Menschen den die deutsche Erde in dieser Gattung trägt; was er laßen kann, *läßt er stehen,* dessen bin ich gewiß. Der Versuch muß gemacht werden, ehe man über das Resultat zu urtheilen berechtigt ist! Anderntheiles kann ich mich prüfen, ob ich es wage und *wie* wage, wenn ich den Inhalt gelesen habe: doch das ist nöthig um mit Entschiedenheit nach irgend einem Auswege mich umzusehen.
Die oben angedeuteten Rücksichten machen aber die Herausgabe sehr bedenklich, wenn es so arg ist, wie Sie mich fürchten machen und da mögte ich Ihnen doch zu bedenken geben, die Observanzen eintreten zu laßen[8]: wie die Klugheit es gebietet! –«

HSA XXVI,102.

Auf diesen Brief reagiert Heine mit der Übersendung des »Wintermärchen«-Manuskripts und der übrigen für den geplanten Band bestimmten Texte. In einem separat übersandten Schreiben (5. 6. 1844) betont er zwar, aufgrund tiefgreifender Änderungen sei das Versepos nun »nicht bedenklicher als so manches Andre was in Deutschland gedruckt wird«, wiederholt dann jedoch erneut, daß er sich auf Zensur nicht einlassen könne und werde. Er führt aus:

»Sobald ich Ihren Brief erhielt, nemlich den vom 20 May, ging ich das Manuskript meines Gedichtes noch einmahl gewissenhaft durch, schrieb ganze Capitel um, änderte was nur zu ändern möglich war, und noch zum zweiten mahl machte ich Ausmerzungen, deren Spur Ihnen nicht entgehen wird. Aber in dieser Gestalt kann ich nichts mehr ändern und Sie werden durch die Lektüre sich überzeugen, daß das Gedicht

8 die (unumgänglichen Verhaltens-)Regeln zu beachten, d.h. Vorsicht und Zurückhaltung zu üben.

jetzt zahm ist und für Sie nichts mehr von *oben herab* riskirt wird. Ich aber riskire wieder von *unten herauf* mißverstanden zu werden, wie bey früheren Publikazionen, wo ich leider mich von Ihnen zu allzu ängstlicher Zahmheit bereden ließ. Ich habe Ihnen das Manuskript durch das Dampfschiff von vorigem Sonnabend [1.6.] zugeschickt, nebst dem nöthigen Manuskript um das Gedicht dem neuen Gedichteband einverleiben zu können [...]. Lassen Sie nur bey Leibe niemanden mein Manuskript sehen und sprechen Sie niemanden davon, damit das Buch gedruckt und ausgegeben werden kann ehe man nur im mindesten Lunte riecht; bey dem unverfänglichen Titel (ich nenne das Buch *›Neue Gedichte von H. Heine‹* merken Sie sich das) gehen wir noch sicherer und man ist weit davon entfernt von mir etwas zu revoluzionäres zu erwarten. Auch, liebster Campe, Ihretwegen enthalte ich mich aller grellen Manifestazionen[9] und Sie irren sich wenn Sie glauben, ich berücksichtigte nicht Ihre Interessen in Betreff der Gesammtausgabe [...]. In meinem Manuskript ist eine Stelle mit Bleystift angestrichen, die, wenn sie Ihnen zu stark, ebenfalls über Bord geworfen werden mag.«

HSA XXII,107f.

Die von Heine in diesem Brief für das »Wintermärchen« gestellte Forderung von »1000 Mark Banko« Pauschalhonorar hat der Verleger später akzeptiert.
Nach Rückkehr von der Leipziger Messe (Ende Juni) und nach Durchsicht des Manuskripts teilt Campe dem Autor am 10. Juli 1844 seine Eindrücke und Bedenken mit:

»Sie werden sehr viel für dieses Gedicht zu leiden haben! – Es ist durchaus unpopulair und nur für Männer zugänglich.
Nicht zu gedenken, daß Sie den Patrioten neue Waffen gegen Sich in die Hände geben und so die Franzosenhasser wieder in die Schranken rufen: auch die Moralisten werden über Sie herfallen –. Von allen Seiten werden Sie gestoßen

9 (lat.) Bekundungen, Offenbarungen.

und gehechelt werden. Im Geiste sehe ich alle diese Fatalitäten aufbrausen, die mich ebenso unangenehm, wie Sie Selbst berühren, da es mir nicht gleichgültig ist, wie Sie in Deutschland accreditiert stehen. Um mich dieser Ansicht zu entledigen oder mehr zu versichern, habe ich zum zweite Mal das Mspt gelesen und kann nicht anders urtheilen, wie ich befürchtend hier berichte. Daß Sie auf Aristophanes hinweisen ist gut; aber die Menschen, welche Bücher behalten und kaufen, wollen dergleichen in der *modernen* Literatur nicht gelten lassen: man duldet und verzeihet dergleichen, nach conventionellen Gesetzen, nicht in der guten Gesellschaft. Die Zeitgedichte sind der Zahl nach dürftig und sämmtlich schon bekannt also *nichts Neues* bringend [...].
Wahrlich ich habe nie so bei einem Ihrer Artikel geschwankt als eben bei diesen, nämlich was ich thun oder lassen soll? Noch habe ich mit dem Buchdrucker nicht über dessen Druck gesprochen, keinen Schritt zum Censor gethan, der außer den angestrichenen Stellen, die sehr ungerecht sind, alles passieren lassen wird.«

HSA XXVI,104f.

Am 20. Juli 1844 reist Heine von Le Havre aus per Schiff nach Hamburg, um Campes Bedenken zu zerstreuen und die Drucklegung zu überwachen. Als es ihm nicht gelingt, die Einwände des Verlegers gegenüber dem »Wintermärchen« auszuräumen, wird der Journalist François Wille (vgl. Anm. zu Cap. XXIII,13–18) als neutraler Gutachter hinzugezogen. Wille berichtet in seinen »Heine-Erinnerungen« (1867):

»[...] als es vollendet war und in Hamburg gedruckt werden sollte, war es Julius Campe, der Furcht hatte, der da meinte, es ginge wirklich nicht, das Gedicht jetzt herauszugeben, es werde sich ein Sturm erheben, noch stärker als bei dem ›Heine über Börne‹[10], man riskiere, den ganzen Erfolg der

10 Heines Werk »Ludwig Börne. Eine Denkschrift«; die Erstausgabe erschien 1840 mit dem von Campe formulierten Titel »Heinrich Heine über Ludwig Börne«.

früheren Werke zu untergraben, die öffentliche Meinung, die Kritik, Polizei und Bürger würden in Harnisch geraten, dabei sei von den zu erwartenden Verboten noch gar nicht gesprochen usw. Heine war in heller Verzweiflung, als er mir diese Einwendungen Campes mitteilte. Nach einigen Tagen kam er indes etwas beruhigter zu mir: ›ich bin – sagte er – mit Campe darüber eins geworden, daß Sie entscheiden sollen, ob man den Druck wagen soll und daß, was Sie streichen, wegbleibt. Wann darf ich Ihnen das Manuskript zu lesen geben?‹ Es wurde ausgemacht, daß ich es am nächsten Morgen bei ihm lesen solle. Als ich zu ihm kam, drückte er mir eine Rolle in die Hand und begab sich in seinen veilchenblauen Sammetschlafrock gehüllt ins Nebenzimmer, aus dem ich ihn, sobald ich gelesen, durch Anklopfen erlösen solle. Ich war mit der Handschrift allein. Von mehreren vorhergehenden Umarbeitungen, deren die Vorrede zur zweiten Auflage der ›Neuen Gedichte‹ Oktober 1844 später erwähnt[11], weiß ich nichts. Gewiß ist, daß das Gedicht, wie es gedruckt worden, dasselbe ist, das ich auf Heines Zimmer zu Hamburg auf der Esplanade gelesen, und welches keine weiteren Änderungen erlitten, als daß die wenigen Verse, gegen welche ich Bedenken hatte, weggeblieben sind. Ich las die von des Dichters großer deutlicher Hand geschriebenen Bogen so rasch durch, daß er, als ich an die Tür pochte und ›So kommen Sie doch heraus‹ rief, scheinbar wie erschrocken sagte: ›Sind Sie schon fertig? Was sagen Sie denn nun?‹ Das, was ich ihm sagte, ist ungefähr folgendes, und ich hörte hernach von ihm, daß meine Stimme und der Ausdruck meiner Züge meine glückliche Stimmung sichtbar machten und meine Worte bestätigten, als ich seine beiden Arme faßte und ihm sagte: ›Ich kann Ihnen nur erklären, daß ich, um mich eines Herderschen Ausdrucks aus der „Kalligone“[12] zu bedienen, mit dem Gedichte congenial geworden bin, das heißt, daß in mir beim Lesen die gleiche göttliche Lust aufge-

11 Vgl. das »Vorwort« zur Separatausgabe des »Wintermärchens«, das Heine dem »Vorwort« zur 2. Auflage der »Neuen Gedichte« anfügte.

12 Johann Gottfried Herder, »Kalligone«, Frankfurt a. M. / Leipzig 1800.

gangen, mit welcher der Genius es gezeugt und empfangen. Der lachende, alle Dummheit und Lüge der Welt spielend überwindende Humor, der selige Übermut des Scherzes und Witzes, die ganze Glückseligkeit der Weltbefreiung durch Kunst und Poesie sind mit den preciösen Versen auch in mir eingezogen. Ich freue mich über Sie, über die Welt, über mich, daß Sie das prächtige tolle Ding gemacht, daß ich es zuerst genossen, und daß es zur Welt gekommen ist. Aber einige Verse müssen notwendig weg, nicht aus Rücksicht auf Thron und Altar, um die wir uns nicht zu scheeren haben, sondern in Ihrem Interesse und des Gedichts wegen.‹ [...] Heine fragte ›welche?‹ und strich sie durch ohne weitere Einwendungen. Ich darf aus den mir noch erinnerlichen die folgenden anführen, weil Ähnliches auch sonst in seinen Werken vorkommt. Da war im dritten Kapitel hinter den Worten

›Nur fürcht ich wenn ein Gewitter entsteht
Zieht leicht so eine Spitze
Herab auf Euer romantisches Haupt
Des Himmels modernste Blitze‹

ein Vers, dessen Spitze eine Warnung auch vor den hohen Reiterstiefeln war, die einmal am Davonlaufen hindern könnten.[13] Ich sagte ihm: ›Das schickt sich nicht für Sie, ein ganzes tapferes Volk dürfen Sie nicht beschimpfen wollen, und wenn Sie die Officiere allein meinen, so haben Sie auch Unrecht, mögen noch so viele einfältige, ungebildete Esel und hochmütige Gecken darunter sein, aber davon laufen werden sie wahrhaftig nicht, darauf können Sie sich verlassen.‹ Er strich den Vers. Kapitel IV hieß es:

Die Enkelbrut erkennt man heut
An ihrem Judenhasse‹ [V. 35f.]

13 Vgl. Kap. II: Textvarianten, Caput III,60,1–4 (dort ist indes nicht von »hohen Reiterstiefeln« die Rede, sondern vom »schweren Helm«). In die noch von Heine selbst überwachte französische Ausgabe (Poëmes et légendes, 1855) wurde die Strophe wieder aufgenommen.

Ich: ›Was gehen Sie noch die Juden an? Sie haben ja weder für ihre Nationalität noch ihre Religion Sympathie? und warum im Moment, wo Sie dort den einen Nationalismus verhöhnen, hier für einen andern Schwäche zeigen?‹ Er änderte das Wort ›Judenhaß‹ in ›Glaubenshaß‹ usw. Das Opfer einiger reizender, aber sehr mutwilliger Verse, gegen die aber schon Campe's Veto vorlag,[14] durfte uns mehr Leid tun.«

Zitiert nach: Heine-Jahrbuch 1967. S. 7–9.

Willes begeistertes Urteil hat offensichtlich den Ausschlag gegeben: Am 11. September 1844 kann Heine seiner Frau nach Paris melden, der Druck sei schon erfolgt und das Buch werde in etwa zehn Tagen ausgeliefert (HSA XXII,125). Dem in Hannover lebenden Advokaten und Schriftsteller Johann Hermann Detmold (1807–56) schreibt er am 14. September:

»In 8 Tagen erscheint bey Campe mein neues Buch, welches zum größtentheil schon bekannte Gedichte enthält, aber auch ein noch unbekanntes großes Poem von 8 Bogen, die Hauptsache, Spektakel erregend und dasselbe beängstigt mich nicht wenig. Da das Opus nicht bloß radikal revoluzionär, sondern auch antinazional ist, so habe ich die *ganze Presse* natürlich gegen mich, da letztere entweder in Händen der Autoritäten oder der Nazionalen steht und von den unpolitischen Feinden, von rein literarischen Schuften, unter allerley Masken zu meinem Schaden ausgebeutet werden kann. Campe soll Ihnen das Buch gleich zuschicken, Sie dürfen es aber, ehe es dort im Buchhandel ausgegeben wird, niemanden sehen lassen, damit nicht gleich die Confiskazion provozirt wird. – Obgleich ich für das Buch die Verketzerung durch die Presse fürchte, so wächst mir doch der Muth, seit ich von Ihnen Nachricht habe, und ich erwarte viel von

14 Eberhard Galley (Heine-Jahrbuch 1967, S. 17) vermutet, daß sich Campes Veto auf die in Caput XXIII (nach V. 84) gestrichenen Strophen (vgl. Kap. II) bezog, die 1847 in der unter dem Pseudonym Dr. J. Zeisig herausgegebenen Schrift »Memoiren einer Prostituirten oder die Prostitution in Hamburg« (S. 149–153) abgedruckt wurden.

Heine im Jahre 1842. Zeichnung von Samuel Dietz. Foto: Bildarchiv Preußischer Kulturbesitz

Ihrer thätigen Klugheit. Thun Sie hier schnell das Mögliche direkt und durch Vermittlung von Freunden. Zunächst aber schreiben Sie einen bedeutenden Artikel über das Buch für den Hamburger Correspondenten[15] und schicken Sie denselben sobald als möglich hierher an Campe; hierdurch werde ich gleich hier etwas gedeckt.«

HSA XXII,126.

Im Brief vom 20. September 1844 an Detmold findet sich der erste Hinweis auf die geplante Separatausgabe des »Wintermärchens« und das dafür bestimmte »Vorwort«:

»Mein Buch, das ich Ihnen durch den Postwagen sannte (ohne näher bezeichnende Addresse) werden Sie gewiß richtig erhalten haben. Hier wird es noch 8 bis 10 Tagen nicht ausgegeben und Campe will nicht daß es ins Gerede komme ehe es überallhin verschickt. Daher noch immer Verschwiegenheit. [...] Campe druckt das Wintermährchen noch besonders und ich habe eine Vorrede dazugeschrieben; ich schicke Ihnen das Büchlein vielleicht schon Mitte nächster Woche, in mehren Exemplaren, die Sie zu meinem Besten zu vertheilen haben.«

HSA XXII,129.

Für die Separatausgabe mußte das »Wintermärchen« (Umfang ohne Vorrede knapp 9 Bogen) der Hamburger Zensurbehörde vorgelegt werden. Vor allem der wohlwollenden Einflußnahme von Karl Sieveking, des Vorsitzenden der Zensurkommission, war es wohl zu danken, daß der zuständige Zensor Friedrich Lorenz Hoffmann recht zurückhaltend zu Werke ging.[16] Zudem hat Heine – wie sich aus einem Brief François Willes vom 13. September 1844 ergibt (vgl. HSA XXVI,108) – selbst mit Hoffmann über sein Versepos gesprochen, und Campe hatte den Zensor bereits zuvor,

15 Detmolds Rezension der »Neuen Gedichte« erschien am 8. Oktober 1844 in dieser Zeitung (vgl. Kap. IV,1).

16 Vgl. Heinrich Hubert Houben, »Verbotene Literatur von der klassischen Zeit bis zur Gegenwart«, Bd. 1, Berlin 1924, S. 418–420.

und zwar zu einem Zeitpunkt, als diesem erst ein Teil des Textes vorlag, mit einem Schreiben folgenden Wortlauts nachsichtig zu stimmen versucht:

»Überzeugt bin ich, daß man auf das *Ganze* als ein *harmloses Märchen,* wie der Titel es bezeichnet, eine billige Rücksicht nimmt; umsomehr da es kein Pamphlet ist, sondern eine umfangreiche Produktion bildet, also von diesem Standpunkte aus schon einige Rücksicht in Anspruch nehmen dürfte. Andrerseits will man in Hamburg die Litteratur nicht drücken, sondern pflegen! Wenn unter einer Menge von schönen Blumen ein bischen Unkraut zufällig mitwächst, wenn ein bischen Salat auf einem Blumenbeete mit unterläuft – das kann man gerne geschehen lassen, das Ganze ist sehr *schön,* keinesweges brutal gehalten; und so bin ich überzeugt, legte ich das ganze Werk vor, die löbl. Kommission würde erheitert werden und meinen Wünschen gemäß deferieren[17]. Ich meine, der Geist, der in einem Werke wohnt, giebt den Maßstab an, womit gemessen werden sollte – und dem Humor steht vieles frei, das Murrköpfen versagt werden muß.«

Zitiert nach: Euphorion 8 (1901) S. 338f.

Der Zensor verfügte die Streichung der vier Schlußstrophen von Caput III (über den preußischen Adler und die rheinischen Vogelschützen) und der letzten 30 Verse von Caput XIX (über König Ernst August von Hannover; im Druck zwei Zeilen Zensurstriche); außerdem durfte in Caput XI der Name des Historikers Raumer nur durch »R***« angedeutet werden (V. 25; V. 53 blieb der volle Name stehen), und in Caput XVIII war »dem preußischen Adler« durch »dem bekannten Adler« zu ersetzen (V. 57).
Andererseits hat Heine für den Separatdruck die Schlußstrophe von Caput IV zu fünf Strophen ausgebaut. Auch für Caput XXVI hat er nachträglich eine Ergänzung (nach V. 52) erwogen; über den (in Kap. II mitgeteilten) Versen ist im

17 (frz.) willfahren, sich nachgiebig verhalten.

Arbeitsmanuskript vermerkt: »Seite 412. nach der zweiten Strophe« (diese Angabe bezieht sich auf die Seitenzählung der »Neuen Gedichte«).

Am 21. September 1844 schickt Heine die Aushängebogen (die für Verleger und Autor bestimmten ersten Reindruckabzüge) der »Zeitgedichte« und des »Wintermärchens« nach Paris an Karl Marx, mit dem er seit der ersten Begegnung im Dezember 1843 freundschaftlichen Umgang pflegt und der Mitarbeiter der ab Januar 1844 in Paris erscheinenden, Ende des Jahres bereits wieder verbotenen deutschen Zeitschrift »Vorwärts« ist. In einem am selben Tag an Marx gerichteten Brief schreibt Heine:

»Mein Buch ist gedruckt wird aber erst in 10 bis 14 Tagen hier ausgegeben, damit nicht gleich Lärm geschlagen wird. Die Aushängebogen des politischen Theils, namentlich wo mein großes Gedicht, schicke ich Ihnen heute unter Kreuzkouvert, in dreyfacher Absicht. Nemlich, erstens damit Sie sich damit amüsiren, zweitens damit Sie schon gleich Anstalten treffen können für das Buch in der deutschen Presse zu wirken, und drittens damit Sie, wenn Sie es rathsam erachten im Vorwärts das Beste aus dem neuen Gedichte abdrucken lassen können.

Ich glaube bis zu Ende des 16ten Capitels des großen Gedichts, ist alles geeignet zum Wiederabdruck [...]. Schreiben Sie, ich bitte, zu diesen Auszügen ein einleitendes Wort. Den Anfang des Buchs bringe ich Ihnen nach Paris mit, der nur aus Romanzen und Balladen besteht, die Ihrer Frau gefallen werden. (Sie herzlich von mir zu grüßen ist meine freundlichste Bitte; ich freue mich darauf, sie bald wieder zu sehen. Ich hoffe, der nächste Winter wird minder melancholisch für uns seyn, wie der vorige.)

Von dem großen Gedichte macht jetzt Campe noch einen besonderen Abdruck, worin die Censur lange Stelle gestrichen, wozu ich aber eine Vorrede geschrieben, die sehr unumwunden; den Nazionalen habe ich darinn aufs Entschiedenste den Fedehandschuh zugeworfen. Ich schicke Ihnen dieselbe nachträglich, sobald sie gedruckt. [...] Für den Fall, daß Sie die requirirten Einleitungsworte zum Vorwärts mit Ihrem Namen unterzeichnen, können Sie sagen, daß ich Ihnen die frischen Bogen gleich zugesanndt. Sie verstehen die Distinkzion[18], warum ich in anderer Weise dieser Bemerkung gern überhoben wäre.«

HSA XXII,130f.

Am 9. Oktober bringt der »Vorwärts« eine Notiz über Heines Hamburg-Aufenthalt, in der es heißt:

»Heinrich Heine's neueste Gedichte liegen bei seinem Verleger (Hoffmann und Campe) zur Versendung bereit. Sie werden große Sensation und heftige Angriffe auf den Dichter erregen. Eigentliche politische Lieder schreibt Heine auch in diesem Bande nicht,* sondern läßt in seiner Muse das erotische Element vorwalten: er geißelt Freund und Feind, Hoch und Niedrig, schneidet in eigenes wie in fremdes Fleisch, und bleibt der ›ungezogene Liebling der Grazien‹, der deutsche Aristophanes. Es muß auch solche Dichter geben; sie sind ein treffliches Ferment in dem großen Geisterbottich, und verhindern die allgemeine Essiggährung.«

Vorwärts! Pariser Deutsche Zeitschrift. Nr. 81. S. 2. (Die Notiz ist datiert »Hamburg, 23. September«, signiert »N.K.«.)

Zu der mit einem Sternchen markierten Stelle merkte die Redaktion an: »Der Herr Einsender scheint das wunderschöne Wintermährchen *›Deutschland‹* nicht gelesen zu haben; kräftiger, geistreicher, lebendiger war Heine noch nie; – *unpolitisch* werden Manche die Lieder finden, aber ächt politisch gewiß *nicht.*«
Vom 19. Oktober bis zum 30. November 1844 (Nr. 84–96) druckt der »Vorwärts« den Gesamttext des »Wintermärchens« einschließlich des Vorworts ab, und zwar mit folgender Vorbemerkung:

18 (lat./frz.) Unterscheidung, Unterschied, Auszeichnung.

»Als uns Heine in letzter Zeit mehrere seiner neuen Dichtungen für unser ›Vorwärts‹ mittheilte,[19] begrüßten wir sie nicht nur als einen werthen Beitrag, sondern auch als die Vorboten von Heine's nach langem Winterschlafe neu erwachter Thätigkeit und einem neuen Werke, in dem wir den uns so lieb gewesenen Dichter in seiner vollen Jugendkraft wieder finden und ihn noch mehr lieb gewinnen sollten als früher. Unsere Erwartung hat uns nicht getäuscht, – unter dem Titel: ›Deutschland, ein Wintermährchen‹ hat Heine bei Hoffmann und Campe ein Bändchen Gedichte erscheinen lassen, die wir unstreitig für eines der besten Werke halten, die diesem witz- und gemüthreichen Dichtergeiste entsprossen. Die Kraft neuer Ideen hat Heine aus seinem trüben Schlummer geweckt, geharnischt tritt er auf den Schauplatz, hoch schwingt er die *neue* Fahne und ein ›tüchtiger Tambour‹ schreitet er wirbelnd und Appell schlagend voran. Wir werden Proben daraus liefern, einstweilen geben wir heute die sehr bezeichnende *Vorrede.*«

Nr. 84. S. 1.

Wie von Heine im Brief an Marx vorgeschlagen, werden »Proben« angekündigt, wie von ihm nahegelegt, ist die Vorbemerkung ohne Verfasserangabe bzw. Signatur abgedruckt. Es ist demnach nicht auszuschließen, daß der Text von Marx formuliert wurde, der seit Juli 1844 an den Redaktionssitzungen teilnahm und die inhaltliche Gestaltung der Zeitschrift maßgeblich beeinflußte.[20]
Marx' Einfluß auf die Entstehung und die inhaltlich-weltanschaulichen Positionen des »Wintermärchens« ist sehr um-

19 Am 10. Januar und zwischen dem 11. Mai und dem 24. Juli 1844 waren im »Vorwärts« Zeitgedichte Heines abgedruckt worden, darunter »An G. Herwegh«, »An F. Dingelstädt« (später unter dem Titel »An den Nachtwächter«) und »Verkehrte Welt« (vgl. jedoch HSS IV,897).

20 Vgl. Friedrich Hirth, »Heinrich Heine. Bausteine zu einer Biographie«, Mainz 1950, S. 124: »Im ›Vorwärts‹ äußert sich Marx sehr rühmend über Heines ›Neue Gedichte‹ und das ›Wintermärchen‹.« Ansonsten hat sich in der Heine-Forschung die Auffassung durchgesetzt, Marx habe der Bitte des Dichters um ein »einleitendes Wort« nicht entsprochen.

stritten. Den Ausgangspunkt der Diskussion bildete eine briefliche Äußerung Arnold Ruges (18. 2. 1870), der 1843/1844 in Paris mit Marx die »Deutsch-Französischen Jahrbücher« herausgab:

»[...] als ich sein Wintermärchen lobte, führte er mich dafür zu Eis und stellt sich so unempfindlich gegen die Kritik an! Aber er behandelt mich eigentlich nicht schlecht, denn daß ich harmlos mit ihm gelacht und gescherzt habe, ist wahr[21]; nur hätt' er es nicht verschweigen sollen, wer ihn denn auf die politische Satire gebracht hat. Diese Wendung verdankte er *Marx* und mir. Wir sagten ihm: ›Lassen Sie doch die ewige Liebesnörgelei und zeigen Sie den poetischen [politischen?] Lyrikern mal, wie man das richtig macht – mit der Peitsche.‹«

Arnold Ruges Briefwechsel und Tagebuchblätter aus den Jahren 1825–1880. Hrsg. von Paul Nerrlich. Bd. 2. Berlin: Weidmann 1886. S. 346.

Während Franz Mehring 1911 die Auffassung vertrat, die »satirische Dichtung Heines wäre auch ohne Ruge und Marx entstanden« und die »genialste seiner Satiren«, das »Wintermärchen«, enthalte »nichts, was nicht längst in ihm selbst lag«, betont Georg Lukács, das Epos verdanke »zweifellos seine große Klarheit und Entschlossenheit dieser engen Berührung mit Marx«. Ist Ludwig Marcuse der Ansicht, Heine habe »eher einige Ideen Marx' antizipiert (sie waren ja von gleicher Herkunft), als daß er beeinflußt worden« sei, so glaubt Hans Kaufmann, inhaltliche Abhängigkeiten zumal von Marx' »Einleitung zur Kritik der Hegelschen Rechtsphilosophie« (ersch. Februar 1844) nachweisen zu können, und bezeichnet Heines Epos als »eine Art von poetischem Gegenstück« zu dieser Schrift. Klaus Briegleb konstatiert, »daß das ›Wintermärchen‹ im Schriftenzusammenhang seit 1830 einen thematisch-zusammenfassenden, ja rückblickenden Charakter hat«; er sieht den »historischen Anteil von Marx«

21 Ruge spielt auf Heines »Geständnisse« (1854) an (vgl. HSS VI/1,478).

darin, daß Heine »durch die freundschaftliche Begegnung mit dem späteren Schöpfer einer politischen Theorie der Gesellschaftsrevolution einen neuen Ansporn erhält, seine eigene künstlerisch-revolutionäre Praxismöglichkeit abzugrenzen und zu erproben«.[22]
Marx zitiert in späteren Werken mehrfach Verse aus dem »Wintermärchen«, das Heine selbst in der 1844 vorliegenden Gestalt für »unvollendet« hält. Schon Ende des Jahres beschäftigt ihn der (nicht realisierte) Plan einer Neubearbeitung, von dem er Campe am 19. Dezember 1844 in Kenntnis setzt:

»Epische Gedichte müssen überhaupt mehrfach umgearbeitet werden. Wie oft änderte Ariost[23], wie oft Tasso[24]. Der Dichter ist nur ein Mensch, dem die besten Gedanken erst hinten nach kommen. Das Wintermährchen ist auch in der jetzigen Gestalt unvollendet, es bedarf bedeutender Verbesserungen und die Hauptstücken darin fehlen. Ich habe den heißesten Wunsch diese sobald als möglich zu schreiben und Sie zu bitten eine umgearbeitete und stark vermehrte Neue Ausgabe des Gedichtes zu veranstalten. Sie werden sehen wie es dadurch vollendet seyn wird und welcher Nachjubel entsteht.«

HSA XXII,146.

22 Mehring, »Gesammelte Schriften«, Bd. 10, Berlin 1961, S. 455; Lukács, in Geist und Zeit (1956) H. 5, S. 26; Marcuse, »Heinrich Heine«, [Zürich] 197[illegible] (detebe 21/IX), S. 238; Kaufmann, »Politisches Gedicht«, S. 59; Briegleb, HSS IV,1014f.
23 Ludovico Ariosto (1474–1533), italienischer Dichter; sein Hauptwerk ist das Stanzenepos »Der rasende Roland«.
24 Torquato Tasso (1544–95), italienischer Dichter; schrieb u.a. das Versepos »Das befreite Jerusalem«.

IV. Dokumente zur Wirkungsgeschichte

1. Zeitgenössische Rezensionen und sonstige Zeugnisse

Das »Wintermärchen« erschien zu Lebzeiten Heines in folgenden Ausgaben:

»Neue Gedichte«, 1. Aufl., S. 277–421 (ersch. Ende September 1844 in 3000 Exemplaren); 2. Aufl., S. 227–343 (ersch. Ende Oktober / Anfang November 1844 in 4000 Exemplaren)
»Deutschland. Ein Wintermährchen«, 1. Aufl. (ersch. Anfang Oktober 1844); 2. Aufl. (ersch. Mitte Oktober 1844)
»Deutschland. Ein Wintermährchen«, Nachdruck im Pariser »Vorwärts« (Nr. 84–96, 19. Oktober bis 30. November 1844)
»L'Allemagne. Conte d'hiver«, frz. Prosaübersetzung in der »Revue de Paris« (Nr. 94 und 95, 7. und 10. Dezember 1844)
»Germania. Conte d'hiver«, frz. Prosaübersetzung in den »Poëmes et légendes«, Paris 1855, S. 199–270.

Außerdem ließ Campe – unbekümmert um die Paginierung – die Seiten 277 bis 421 der Erstauflage der »Neuen Gedichte« einschließlich der »Wintermärchen«-Vorrede gesondert binden (vgl. Houben, »Verbotene Literatur«, S. 423).
Auf einen Ende Dezember 1844 erschienenen nicht autorisierten Nachdruck wurde Heine am 24. März 1845 von Marx hingewiesen: »Der Renouard und Boernstein haben Ihr Wintermährchen mit dem Druckort New York in Paris drucken und hier in Bruessel zum Verkauf ausbieten lassen« (HSA XXVI,129; gemeint sind Paul Renouard und Heinrich Börnstein, Verleger bzw. Herausgeber des Pariser »Vorwärts«).
Die meisten deutschen Bundesstaaten gingen mit Nachdruck gegen die »Neuen Gedichte« vor, und zwar vor allem auf

Betreiben der preußischen Behörden. Am 1. Oktober 1844 berichtete der preußische Gesandte in Hamburg, von Hänlein, nach Berlin: »Sie athmen wieder solchen revolutionären Geist und Tendenz und sind so gehässig und unverschämt gegen Preußen und unsern erhabenen Monarchen gerichtet, daß mir ein Verbot unerläßlich erscheint, wenn man in Hamburg nicht selbst daran denkt und die Verspottung alles Hehren und Heiligen so wie seiner eigenen Zustände mit stoischer Gelassenheit oder eigentlichem Stumpfsinn erträgt« (zit. nach Houben, »Verbotene Literatur«, S. 419). In einem Gutachten des zuständigen Referenten im Ministerium des Innern vom 3. Oktober hieß es, von Seite 227 an (dort beginnen die »Zeitgedichte«) enthalte das Buch »fast durchgehends in Verse gebrachte gemeingefährliche Schandreden über den Charakter des deutschen Volkes, die politisch-sozialen Institute Deutschlands und ins Besondere die brutalsten Ausfälle auf die geheiligte Person des diesseitigen Staatsoberhauptes« (Houben, S. 417). Die anschließend ausdrücklich beanstandeten Stellen waren mit einer Ausnahme sämtlich Verse aus dem »Wintermärchen«. Daraufhin wurde am 4. Oktober die Beschlagnahme der »Neuen Gedichte« in Preußen verfügt, und am 11. Oktober erging von Berlin aus die Aufforderung an alle deutschen Bundesstaaten, dasselbe zu veranlassen. Am 14. Oktober erfolgte das Verbot in Hamburg, wenig später u. a. im Großherzogtum Hessen, in Hessen-Nassau, Braunschweig, Lübeck, Holstein, Frankfurt a. M., Mecklenburg, Württemberg und Bayern (nicht jedoch – trotz der Verunglimpfung von König Ernst August – in Hannover).

Auf das Erscheinen der Separatausgabe des »Wintermärchens« reagierte Preußen ebenfalls sogleich mit einem Verbot. Der Minister des Äußern, von Bülow, veranlaßte den preußischen Gesandten, den Hamburger Behörden vorzuhalten, »daß die in Rede stehende Schrift, wenngleich dieselbe bereits in mehreren Punkten von dem in den ›Neuen Gedichten‹ desselben Verfassers abgedruckten Wintermärchen abweicht, dennoch nicht nur große Ausfälle auf die

diesseitigen Zustände und auf Deutschlands Lage überhaupt, sondern auch so boshafte und verunglimpfende Anspielungen auf Se. Majestät den König von Preußen enthält, daß der Censor sich wohl hätte veranlaßt finden müssen, derselben die Druckerlaubnis zu verweigern«. Den Hamburger Behörden war es, nachdem diese Ausgabe die Zensur passiert hatte, nun schlechterdings unmöglich, noch nachträglich ein Verbot zu verfügen; immerhin konnte von Bülow am 9. Dezember seinem Kollegen, dem preußischen Innenminister von Arnim, mitteilen, daß der Hamburger Senat »dem Censor Dr. Hoffmann unter Androhung einer unnachsichtlich zu verhängenden Geldstrafe für die Zukunft größere Aufmerksamkeit und Strenge zur Pflicht« gemacht habe (Houben, S. 421).
Kurz nach Auslieferung der zweiten Auflage der »Neuen Gedichte« forderte das preußische Innenministerium seine Oberpräsidenten auf, die Buchhändler nachdrücklich darauf hinzuweisen, daß diese Schrift »verbrecherischen Inhalts« sei und ihre Verbreitung »als kriminell strafbar« erscheine (vgl. Neue Deutsche Literatur, 1957, H. 8, S. 171). Am 12. Dezember schließlich ordnete Friedrich Wilhelm IV. an, Heine zu verhaften, wenn er die preußische Grenze überschreite.

Das von F. Wille redigierte »Wandsbecker Intelligenz-Blatt« bringt am 20. September 1844 folgende Notiz:

»Heinrich Heine's neueste Gedichte werden hoffentlich bald der fünften Auflage (welches die unverminderte Popularität des Dichters beim deutschen Volke beweist) des Buchs der Lieder folgen. Dieselben sollen wieder reizende Nachlässigkeit mit Formvollendung, glänzendem Witz und Satyre, mit höherem Geiste der Poesie, so wunderbar verbinden, wie nur je eines jener Bücher von H. Heine, die kein Mann von Geist in die Hand nehmen kann, ohne daß ihn das Lesefieber ergreift, und er nicht eher das Buch weglegt, als bis er dasselbe mit lächelndem Munde und leuchtenden Augen durchgelesen.«

Nr. 38. Spalte »Literarische- und Kunst-Notizen«.

Die erste nachweisbare Rezension der »Neuen Gedichte« stammt von Johann Hermann Detmold (vgl. Kap. III), der Heine am 22. September 1844 geschrieben hatte: »[...] das Buch wird eine ungeheure Sensation machen, einen Aufschrei erregen wie noch kein anderes Buch, vor solcher Sensation (im guten und bösen Sinne) schützen aber weder Precautionen[1] Ihrer Seits, noch Machinationen[2] von Seiten Ihrer Feinde« (HSA XXVI,110). In dem nach Detmolds Angabe schon vor Niederschrift des Briefes abgesandten, jedoch erst am 8. Oktober (ohne Verfasserangabe) erschienenen Artikel heißt es:

»Wir glauben hier über eine Publication berichten zu müssen, die, wie es nicht fehlen kann, überall in Deutschland, und gewiß auch über Deutschland hinaus, die tiefste und zugleich lauteste Aufmerksamkeit erregen wird.
Es ist ein ganzer, 27 Bogen starker Band neuer Gedichte von Heinrich Heine, und zwar nicht bloß neuer Gedichte in ›alter Manier‹, sondern ganz neu, durchaus ursprünglich, ganz frisch, neu so in Form wie in Inhalt, ein ganzer reicher Frühling voll Liebe und Haß.
Es kann nicht unsere Absicht seyn, hier eine Kritik dieses reichblühenden Kranzes zu geben, nur die Aufmerksamkeit wollten wir rasch darauf hinlenken. Es wird dem Buche an ausführlichen und gründlichen Kritiken, an Lob und Tadel nicht fehlen, aber es ist ein Buch so durch und durch ursprünglich, so selbstkräftig, so eigenthümlich, so ächt und so ganz poetisch, daß es jeder Kritik spottet. [...] An diese Zeitgedichte schließt sich ein größeres Gedicht, das ein Drittheil des ganzes Bandes füllt, also etwa neun Bogen stark ist, Heine's letztes, neuestes, frischestes und eigenstes Werk: ›Deutschland, ein Wintermährchen, geschrieben im Januar 1844‹, in 27 Kapiteln. Dieses Gedicht ist die reichste, reifste, duftendste Frucht des ganzen Kranzes, die aber eben darum sich nicht mit flüchtigen Worten charakterisiren läßt. Der

1 (lat.) Vorsichtsmaßregeln.
2 (lat.) Machenschaften.

Dichter bekennt sich hier offen als Sohn und Nachfolger des Aristophanes, und so waltet denn auch in diesem Gedichte durchweg wahrhaft aristophanischer Humor, der freilich nur in diesem Sinne aufgefaßt werden darf. Ein Näheres wollen wir vorläufig nicht verrathen.«

Staats- und Gelehrte Zeitung des Hamburgischen unpartheiischen Correspondenten. 1844. Nr. 240.

Der Schriftsteller Heinrich Laube (1806–84) rühmt sich im Brief an Heine vom 15. Oktober 1844, er sei »hier zu Lande schon vor 14 Tagen der erste« gewesen, »der die Trommel gerührt« (HSA XXVI,113). Seine am 9. Oktober in der von ihm selbst redigierten »Zeitung für die elegante Welt« erschienene Besprechung der »Neuen Gedichte« enthält folgende Äußerungen zum »Wintermärchen«:

»Freilich, Heine's neue Gedichte haben einen Schluß auf 110 Seiten, Reisebilder in Versen, der heißt ›Deutschland ein Wintermährchen: Geschrieben im Januar 1844‹, der bringt noch alle diejenigen in Wuth und Verzweiflung, welche ihn noch mit lachendem Kopfschütteln bis in diese Gegend begleitet haben. Da dies moderne Dinge sind, welche nicht als antike Komödie aufgeführt werden können, so wird die bacchantische Narrethei und poetische Frechheit nirgends, aber nirgends Gnade finden, und um dieses ›Nirgends‹ willen würde man darüber hinschreiten, wenn nicht einzelne Scenen und Phrasen unvergeßlich gefaßt und ausgedrückt wären, so, daß sie wie der Geist im Hamlet überall aus der Erde entgegen schrieen. – [...]
In Summa: das letzte Viertel des Buchs, welches ich bei Beginn dieser Anzeige nur überblättert hatte, verwandelt alle bisherige politische Poesie in wohlklingende idyllische Phrasen, und Ärgeres kann nicht gesagt werden als in diesem Aristophanes-Tone, welchem nichts heilig, von Heine gesagt wird. Zum Zeichen, daß Reindeutsches, sei's noch so stark, immer gemüthlicher bleibt als der Wurf des Autors, welcher bei den Hohenpriestern, den Griechen und Romanen in die Schule gegangen.«

Nr. 41. S. 649f.

Im »Wöchentlichen Literatur- und Kunstbericht von Oswald Marbach«, Leipzig, 12. Oktober 1844, findet sich ein mit Angriffen auf die Person des Dichters durchsetzter grober Verriß des »Wintermärchens«:

»Es ist das Schicksal aller großen Schriftsteller gewesen, daß sie im Alter Werke geschaffen haben, welche den Erwartungen nicht mehr entsprachen, zu denen die Werke ihrer Kraft berechtigt hatten. Nun ist es bekannt, daß man in Paris schneller lebt als sonst irgend wo, und man wird daher Heinrich Heine'n seine 13 Jahre in Paris wohl für 26 anrechnen und sein neuestes, eben angekommenes Werk als das Werk eines ziemlich abgelebten alten Mannes mit Nachsicht aufnehmen müssen. Aber wie groß die Nachsicht auch sein mag, wie tief der Leser seine Erwartungen herabstimmen möge, er wird überrascht sein durch die poetische Impotenz, in welche Heinrich Heine versunken ist. Heine selbst hat einen zu großen Beweis von Impietät gegeben, als daß er erwarten könnte, daß man die Widerwärtigkeiten und Sünden seines Alters mit Pietät ertragen sollte. Zudem ist es eine Schmach, auch für einen, der 13 Jahre in Paris gelebt hat, mit 47 Jahren am Geist gebrechlich zu sein, wie ein Greis, statt der Liebe nur der Lüsternheit, statt der Begeistrung nur der Genießlichkeit, statt der Kraft nur der Gemeinheit fähig zu sein. Stände nicht der Name Heinrich Heine und die Firma Hoffmann u. Campe an der Stirne des Buches *Deutschland. Ein Wintermährchen* (XII. u. 143 S. 8. brosch. Pr. 1 Thlr.), der Kritiker würde kein Wort über ein so elendes Machwerk verlieren, sondern es auf den ersten besten Kehrichthaufen werfen, wohin es gehört. In formeller Beziehung klingt dieß Gedicht wie eine mißlungene Nachahmung von der Jobsiade[3], wie eine Satire auf alles Reimwesen. Heine zeigt allerdings eine gewisse Gewandheit in niederträchtigen Reimen und prosaischen Redensarten, aber sie gehen ihm nicht so natürlich und in so unerschöpflicher Fülle ab, wie dem Dich-

3 grotesk-komisches Heldengedicht in Knittelversen von Karl Arnold Kortum (1745–1824); die vollständige Ausgabe erschien 1799.

ter der Jobsiade, sondern erscheinen gemacht und gesucht. Der Dichter der Jobsiade steht ungleich höher als Heine. Noch armseliger als die Form ist aber der Inhalt dieser elenden Knittelverse. Heine beschreibt in der einfältigsten Bänkelsängermanier seine Reise nach Deutschland und seinen Aufenthalt in Hamburg [...].
Dabei scheint Heine mit seinem unsterblichen Epos noch eine Nebenabsicht gehabt zu haben, nämlich sich zu reinigen von dem Vorwurfe als sei er der Sache des Fortschritts untreu geworden. Gelegentlich äußert er sich hierüber: Er habe nur zuweilen den Schafpelz umgehängt, um sich zu wärmen, – er heule stets mit den Wölfen. Dieses ›den Mantel nach dem Winde hängen‹, dieß Verleugnen der Gesinnung um warm zu sitzen, bezeichnen wir Deutschen mit dem Worte: nichtswürdig, – und so lange wir keinen besserklingenden Ausdruck haben um jene légèreté[4] unsers großen verpariserten Poeten zu bezeichnen, wird derselbe mit dieser Bezeichnung seines Charakters, wie er ihn selbst skizzirt hat, sich begnügen müssen. Daß in dem Gedichte, ›Deutschland‹ hin und wider noch einige Reminiscenzen an jenen Heine, welcher vor 13 Jahren nach Paris ging, aber von da nie wieder zurückgekehrt ist, vorkommen, ist wahr, aber – um uns eines Heineschen Bildes zu bedienen, – wenn man in einem Lazareth in ein von dem Gifte der schmählichsten Seuche zerfressenes Gesicht einer Buhldirne starrt und allmählig Spuren ehemaliger Schönheit entdeckt, die man auf dem Antlitze der ersten Jugendgeliebten kannte, für die man damals begeistert war wie für eine irdische Erscheinung des Göttlichen – das ist keine angenehme, sondern eine widerwärtige Empfindung. Wird man die Geliebte der Jugend anerkennen, wird man sie trotz der Brandmahle der Sünde an ihrem Leibe noch liebend in die Arme schließen? – man wird sich mit Grauen und Ekel abwenden und seufzen: warum hast du mir das gethan!«

Nr. 28. S. 201–203.

4 (frz.) Leichtigkeit, Leichtfertigkeit.

Auf eine »12. October« datierte, anonym in den »Jahreszeiten« (»Hamburger Neue Mode-Zeitung«) erschienene Rezension der »Neuen Gedichte« bezieht sich wahrscheinlich Campe im Brief an Heine vom 25. Oktober 1844: »In Lenz Modenzeitung [...] sind Sie sehr ordinair behandelt; er klagte es und fügt hinzu: der Artikel sey von Dr. Sutor, einen Advocaten. Dieser Artikel ist zu absurd, kann nicht schaden – wird belacht« (HSA XXVI,115). Auf das »Wintermärchen« beziehen sich folgende Passagen dieser Rezension:

»Nach dem Titel des Buches muß man Gedichte erwarten, sieht man aber das Wintermärchen durch, so sucht man vergebens den Dichter. Unter den vorangehenden gereimten und ungereimten Versen ist noch hie und da der frühere Heine zu finden, der poetische Spottvogel, im Wintermärchen-Schluß aber ist die Poesie erfroren, das Leben derselben getödtet, nur ihre Form noch findet der Leser; der feine Spott ist da zur krächzenden Krähe geworden, die sich ihren Unterhalt auf dem Schindanger sucht. In der That, nichts ist gemeiner, als die Art und Weise, wie Heine hier Hamburg behandelt [...]. Es ist die Verhöhnung alles dessen, was einem gewöhnlichen Menschen heilig, mit der Heine förmlich coquettirt. Ich glaube, er meint über uns Menschen zu stehen. Unser Unglück, wie faßt er es auf! Man sehe nur Cap. XXI, wo er die Ruinen Hamburgs betrachtet. Er sucht das Haus, wo er zuerst geküßt, die Druckerei, wo seine Reisebilder gedruckt und die Wirthshäuser, in denen er schwelgte. Kein Mitleid fühlt er mit den Klagenden, er verhöhnt sie. Aber die Krone des Misthaufens ist sein Gang auf die Drehbahn, bekanntlich das Hauptquartier der käuflichen Schönen. Im Kapitel XXIII findet er dort ein hehres Weib, ein hochbusiges Frauenzimmer. Die Beschreibung des Weibsbildes muß man lesen, man sieht, daß Heine mit solcher Gesellschaft vertraut ist. – Aber Heine ist ein Dichter. Das Weibsbild ist nur eine Personification und wessen? Hammonia's, der Schutzgöttin Hamburgs! Darin suche mir Jemand Poesie, Humor und Satyre! Ich finde nur Schmutz, nur eine

Zote. Es geht aber noch weiter. Herr Heine betrinkt sich mit der Göttin in Thee mit Rum (wie poetisch! werden seine Freunde sagen). Er schwört ihr, seine Hand auf einen von uns nicht näher zu bezeichnenden Körpertheil legend, Verschwiegenheit und da zeigt sie ihm zum Danke die Zukunft Deutschlands auf dem Grunde eines Zauberkessels. Dieser Zauberkessel aber ist der Topf in einem Nachtstuhle, und Heine findet in demselben ein unnennbares Etwas. – Ich will Ihre Leser nicht mit weiteren Mittheilungen solchen Unflaths beschwerlich fallen, das Vorstehende wird genügen, ein Urtheil zu motiviren, das dahin lautet, daß Heine gezeigt hat, wie er alle und jede Grenze des Schicklichen verachtend, ein Vergnügen darin findet, Gemeinheiten und Zoten zu fabriziren, und wie er einer von denen ist, die je nach ihrer Laune, um für genial zu gelten, mit ihren schmutzigen Witzen über Alle herfallen, ausgenommen diejenigen, deren Geldbeutel ihnen Gefälligkeiten erweiset. Daß das Wintermärchen in seinem letzten Theile von Poesie keine Spur aufzuweisen hat, das bedarf nach den obigen Mittheilungen keiner Erwähnung mehr. – So lautet das Urtheil des gebildeten Publikums.«

Jg. 3. Bd. 2. Sp. 1161f.

Am 18. Oktober 1844 schreibt Heine an seinen Verleger: »Die Allgemeine Zeitung hat sich sehr klug benommen und widmet mir einen Artikel, der tadelnd ist, aber auf das Buch die Aufmerksamkeit lenkt; man sieht es ist keine Cameraderie« (HSA XXII,138). Er spielt darauf an, daß er mit dem Redakteur des Blattes, in dem ab 1831 seine wichtigsten journalistischen Arbeiten erschienen, gut bekannt ist (vgl. Erl. zu Cap. XII,55f.). August Joseph Altenhöfer (1804 bis 1876) urteilt in der am 14. Oktober veröffentlichten Rezension:

»Warum hat uns Heine aus den zerflatterten Blättern der ›Zeitung für die elegante Welt‹, wo er verstümmelt abgedruckt ist, nicht lieber den, soweit möglich, *ganzen* Atta Trol gegeben, anstatt dieses ›Wintermährchens Deutschland‹, welches in manchem ›Caput‹ wohl recht drollig und amusant ist, aber als Ganzes widerlich viele Leser berühren wird, die keineswegs zu den politischen oder religiösen Obscuranten[5] zählen. Was uns Heine in Aachen über gewisse Steifleinwandherrlichkeit und ›im Gesicht eingefrorenen Dünkel‹ singt, ist kaustisch[6] und vortrefflich; seine Expectorationen[7] über den Kölner Dom aber, um das Glimpflichste zu sagen, sind eines Dichters unwürdig. [...] Und was soll man sagen zu dem Hamburger Abenteuer mit der Hammonia und ihrem mehr als trophonischen Dreifuß[8]? Die Niederländerei, wir verkennen es nicht, ist drollig erfunden, ächt ›aristophanisch‹ wenn es so heißen soll. Indessen da Heine sich, gewissermaßen zur Entschuldigung, ausdrücklich beruft auf ›den seligen Herrn Aristophanes, den Liebling der Kamönen‹, so möchten wir ihm – gewiß sine ira et studio[9], denn wir wollen ihm wohl – zweierlei über diese Appellation bemerken. Erstens: der Grieche, auch wo er die unsaubersten Dinge frech heraussagt, thut es in den allerschönsten Versen, der reinsten attischen Sprache [...]. Darin nun ist Heine *kein* ›Aristophanide‹. Wir sind keine Pedanten, sondern erkennen vollkommen an daß dem Verfasser des (ältern) ›Buchs der Lieder‹, obschon er es auch dort mit Rhythmus und Reim nicht sehr rigoros nimmt – oder, wie Jemand gesagt hat, ›zwei Zeilen gar nicht, und zwei liederlich reimt‹ – doch der *innere* höhere Wohllaut, das musikalische Geheimniß der Sprache in bedeutendem Grade eigen ist. Allein die Formlicenzen in dem vorliegenden Bande gehen doch etwas zu weit. [...] Reime wie ›Romantik – Uhland Tieck‹, ›Wohlfahrtsausschuß – Moschus‹ u. dgl. im Wintermährchen lassen sich selbst mit dem Vorgang der komischen Dichtersprache der Engländer nicht entschuldigen, weil sie nun einmal dem deutschen Ohre nicht erträglich sind. Dieß in Be-

5 (lat.) Finsterlinge, Feinde der Aufklärung.
6 (griech.) ätzend; übertragen: beißend-spöttisch.
7 (lat.) Herzensergüsse.
8 Anspielung auf das Delphische Orakel (vgl. Erl. zu Cap. XXVI,29–33); Trophonios ist der Legende nach Miterbauer des delphischen Apollontempels.
9 (lat.) geflügeltes Wort: ohne Zorn und Vorliebe, d.h. unparteiisch, vorurteilsfrei.

zug auf die Form. Aber, zweitens, auch inhaltlich provocirt Heine einen ihm ungünstigen Vergleich mit dem alten Komödienschreiber. Heine – das hat er vielfach in prosaischen Schriften bewiesen – ist ein heller politischer Kopf, ein scharfsinniger *Beschauer* der Zeit, ein feiner Erlauscher der Unzulänglichkeiten und Schwächen der Parteien wie sie auch heißen mögen. Darüber kann kaum ein Zweifel seyn; ein Anderes aber ist es mit der *Gesinnung*. An der *Ehrlichkeit* dieser zweifeln wir ebensowenig wie am Talent Heine's; wohl aber, aufrichtig gesagt, an ihrer Entschiedenheit und ihrem *Ernst*. Diesen hatte jener ungezogene Grieche: hinter seinen tollsten Fratzen und zügellosesten Reden steht ein ernster, ja trüber Republicanersinn, welcher, im Gegensatz zu den politischen und moralischen Schäden des athenischen Staats in seiner Zeit, immer *zurückweist* auf die einfache Sittenstrenge und Mannestugend der Väterzeit – der Marathonomachen[10]. Heine weist nicht rück-, sondern vorwärts. Auch das ließe sich hören, wenn nur Heine's Zukunft, wie er sie seinem Volk oder Europa wünscht und voraussagt, eine solche wäre, die der Menschheit wirklich ›hier auf Erden schon das Himmelreich errichten‹ könnte. Aber auf dem losen Flugsande der Lehren von der Fleischesemancipation lassen sich Staaten so wenig festbauen wie Familien, sondern dazu wird künftig, wie früher, ein beträchtliches Maaß von dem erforderlich seyn, was Heine aus der Welt verbannt wissen will: Aufopferung und Entsagung.

›Wir wollen auf Erden glücklich seyn,
[...]
Und Zuckererbsen nicht minder.‹ – [I,37–44]

Das klingt ganz hübsch; sollte aber das Staatsrecept eines Jack Cade[11] oder Schneider Weitling[12] diesen an sich löblichen Wunsch verwirklichen? Wir glauben es nicht, und

10 (griech.) die Kämpfer von Marathon (490 v. Chr.).
11 Anführer eines Aufstandes in Kent gegen die Mißwirtschaft unter Heinrich VI. (1422–61).
12 Wilhelm Weitling (1808–71), sozialistischer Theoretiker und Agitator.

Heine ebenso wenig. Ja, wäre ein solcher Staat möglich, wie er es gottlob nicht ist – Heine selbst wäre der erste der sich von der eintönigen Langweile einer solchen liberalen Polizeiherberge spottend abwendete.«

Nr. 288. »Beilage zur Allgemeinen Zeitung«. S. 2297.

In dem bereits angeführten Brief vom 18. Oktober 1844 schreibt Heine ferner: »In der Presse, soll die Trierer Zeitung (Gott weiß durch welche Intrigue) schon die heftigsten Angriffe gegen mich enthalten.« Campe antwortet am 25. Oktober, der Artikel werde wohl von dem jetzt in Koblenz ansässigen Martin Runckel sein, »der alle die schnöden Artikel gegen Freiligrath [...] auf *Befehl der preuß. Regierung* schreibt« (HSA XXVI,115). Der in der »Trier'schen Zeitung« vom 14. Oktober ohne Verfasserangabe veröffentlichte Beitrag lautet:

»Von der Mosel, 10. October. Ich hatte dieser Tage Gelegenheit, eine Probe der ›Neuen Gedichte‹ von Heinrich Heine im Verlage von Hoffmann und Campe in Hamburg zu lesen. Der Dichter hat nämlich den Schluß des Bandes unter dem Titel: ›Deutschland. Ein Wintermährchen‹ aus der Presse nehmen, besonders heften und mit einem Vorworte begleitet ins Publicum wandern lassen. Die Andeutungen vom ›ungezogenen Lieblinge der Grazien‹, der ›in eignes Fleisch und in fremdes schneide‹, wie man in verschiedenen deutschen Zeitungen las, sind durch diese Probe vollständig begründet. Der 45jährige[13] Heine ist derselbe geniale Schlingel, der er auch als 26jähriger war; nur ist er jetzt ein fahrlässiger alter Schlingel, der nicht mehr recht zu arbeiten scheint, sondern seine Productionen ganz salopp aus dem Ärmel fallen läßt. Es ist in dieser Probe der ›Neuen Gedichte‹, um mich eines Jean Paulschen Ausdruckes zu bedienen, viel Salz und viel Schmutz, der Koth überwiegt nur das Salz. Auch spreche ich

13 Die Verwirrung über sein Alter hat Heine durch divergierende Angaben selbst gestiftet (er nannte als Geburtsjahr 1797, 1799 und 1800); tatsächlich dürfte er am 13. Dezember 1797 geboren sein.

Ihnen von dem Buche nicht des eigentlichen Inhaltes wegen, sondern um eine Stelle des Vorwortes zu citiren, die das ganze ›Wintermährchen‹ aufwiegt, und die deutlich zeigt, wie der Dichter mit der Ideeentwicklung der Zeit fortgeschritten ist. Schade nur, daß er uns mit diesem Umstande nur so im Vorübergehenden bekannt macht! Heine polemisirt wider die ›Nationalen‹ und gibt ihnen Folgendes zu bedenken: ›Pflanzt die schwarz-roth-goldene Fahne auf die Höhe des deutschen Gedankens [...]. Das ist *mein* Patriotismus.‹

Es ist wirklich Schade, daß eine solche Vorrede zu dem ›Wintermährchen‹ paßt, wie die Faust aufs Auge, und es gehört mit zu der geistreichen Liederlichkeit Heine's, daß er solche Contraste entweder nicht merkt, oder wohl gar sein Plaisir an ihnen hat.«

Nr. 288.

Der Rezensent der »Bremer Zeitung« hebt auf Beziehungen des »Wintermärchens« zum »Christenthume« Wilhelm Weitlings (vgl. Anm. 12) ab, der in Jesus den Kämpfer gegen soziale Ungerechtigkeit und für die Gleichheit aller Menschen sah. Weitling hatte ab 1837 in Paris als führendes Mitglied dem proletarisch-sozialistischen »Bund der Gerechten« angehört und war im November 1843 in der Schweiz wegen ›Anreizung zum Aufruhr‹ und ›Religionsstörung‹ zu einer zehnmonatigen Haftstrafe verurteilt worden. Heine schildert sein »erstes und letztes Zusammentreffen mit dem damaligen Tageshelden« (August 1844), dessen Hauptwerk »Garantien der Harmonie und Freiheit« (1842) »lange Zeit der Katechismus der deutschen Kommunisten« war, in den »Geständnissen« (HSS VI/1,469–471). In der »A S.« signierten, vermutlich von dem Schriftsteller Adolf Stahr (1805 bis 1876) verfaßten Besprechung des »Wintermärchens« vom 17. Oktober 1844 heißt es:

»Die Heine'sche *Erotik* und ihre Verhöhnung der Liebe ist nicht Heinrich Heine's Erfindung. Er zeugte sie mit der heillos verlogenen Zeit. Wie er aber früher der romantische Sa-

tyriker des deutschen Liebespathos war, so ist er jetzt de satyrische Romantiker des Pathos der deutschen Freihei Seine Satyren sind darum gut, weil wirklich Stoff zur Satyr vorhanden und er witzig genug ist, ihn zu benutzen. Dies Ironie hat eben so gut wie jene einen Inhalt. Die Freiheit, di nicht existirt, kann sich zu der Existenz nur ironisch verhal ten. Die Begeisterung, das wahre Pathos, der Enthusiasmu sind verstummt in der begeisterungslosen Zeit. Darum is Heine der Mann, der jetzt dichten kann. Er hat keinen En thusiasmus, aber er braucht auch keinen zu seinen Witzen Wenn die Witze an der Tagesordnung sind, ist überhaupt di Begeisterung und mit ihr die Freiheit hinter die Coulisse gegangen. [...]
Ja, Heinrich Heine ist Romantiker. Er ist immer noch der selbe alte Romantiker, der einst nach Kevelaar gewallfahrte und es sollte uns gar nicht wundern, ihn nächstens als Wall fahrer bei dem ungenäheten Herrgottsrocke zu Trier[14] knie zu sehen. Er ist immer noch der alte Romantiker, nur da sein Romanticismus jetzt einen tiefen Inhalt bekommen hat *Dieser Inhalt ist der Communismus,* der in seinem Kerne ga sehr christlich und romantisch ist. Ja, Heinrich Heine is wieder Christ geworden, und nur eine schmale Linie altgoe thischen Hellenismus trennt ihn noch von dem Christen thume Weitling's, den er ja auch in seinem Wintermärche von Deutschland als den ›Lictor‹, der ›mit dem Beile hinte ihm her schreitet‹, angeworben hat. Der Communismu Weitling's ist dieser Lictor, der sich ihm, auf sein Befragen i der Mitternachtstunde zu ›Cöllen‹, ›die That von seinen Ge danken‹ nennt, und dessen Richtbeil die heiligen drei König zerschmettert. Und wir verstehen trotz aller seiner Sarkas men die gründliche Andacht zum Kreuze im Sinne diese seines neuen Christenthumes, die wie blaue Flammen au vulkanischem Boden überall hervorzüngelt.
Dieses Wintermärchen, ›Deutschland‹ betitelt, mit seiner ge harnischten prosaischen Vorrede, die auf noch viel nackter

14 Der Dom von Trier nimmt für sich in Anspruch, den ›Heiligen Rock‹ z besitzen (vgl. Joh. 19,23).

Prosa hinweiset, ist die Poesie der *Verhöhnung*. Selbst die Form dieser Poesie ist Verhöhnung der Poesie, ausgeführt mit allen Mitteln der Begabung für vollendete Form. Es ist der alte, wohlbekannte Cynismus zum Sanscülottismus[15] gesteigert, der dem Apoll von Belvedere hohnlachend die rothe Jacobinermütze aufsetzt. Wir finden den ganzen äußern Apparat der liederlichen Genialität wieder bis auf die ›Caput‹-Überschrift und die römischen Zahlen, mit dem er sich selbst den Zopf in die modernste Haartour à l'enfant einbindet. Die Reimverhöhnung, die rhythmischen Holzschuhmenuettpas, die scandalösen Personalien, die Giftpfeile, die Scalpe der erschlagenen Gegner, die rothe Ruhmschminke der eignen Person, der ›Vater Aristophanes‹, der Vetter von Judäa, – nichts fehlt in dem neuesten Pariser Reisenecessaire dieser genialen Formliederlichkeit. Aber es fehlen auch nicht die schmetternden Schläge des zündenden Witzes, die sicher wie des Ferntreffers Geschoß ihre Beute ereilen, nicht die grellen Schlaglichter, die das tiefste Dunkel der Zeitnacht auf einen Augenblick blendend erhellen. Zwischen den schrillen Tönen der Satyrpfeife tönen die klagenden Hornsignale durch den Zauberwald und neben den gräulichsten Larven und Frazzen wandeln hehre Götterbilder. Das Lied: ›Sonne, du klagende Flamme‹ ist ein Zaubersang, dem selbst die empörtesten Herzen lauschen müssen. Hätte er hier geendet, sein Lied von Deutschland wäre nicht zum Irrlicht geworden, das durch die grüne Waldesnacht den folgenden Wanderer in morastige Sümpfe verlockt. Zu rechter Zeit merke ich, daß ich in Gefahr stehe, sentimental zu werden. Wie würde Henri Heine lachen, wenn ihm diese Zeilen unter die Augen kämen! Sentimental zu werden, im Jahre 1844, und über ihn! Es wäre auch in der That zu lächerlich!«

Nr. 291.

In der Leipziger Wochenschrift »Die Grenzboten. Eine deutsche Revue für Politik, Literatur und öffentliches Le-

15 ›Sansculotte‹ war Spottname der französischen Revolutionäre, weil sie im Gegensatz zur aristokratischen Mode keine Kniehosen (culottes) trugen.

ben« findet sich folgender Bericht des Hamburger Korrespondenten (wahrscheinlich Joseph Mendelssohn, 1817 bis 1856):

»Heine's ›Neue Gedichte‹ machen, wie Campe sagt, der in solchen Dingen kein Renommist scheint, mehr Glück, als irgend eine seiner früheren Productionen. Die erste Auflage von dreitausend Exemplaren konnte schon nach vierzehn Tagen den zahlreichen Bestellungen nicht mehr genügen, und schon befindet sich eine zweite, um tausend Exemplare stärkere, bei Vogt in Wandsbeck, unter der Presse. Das hiesige Urtheil läßt den ›Neuen Gedichten‹ in ihren ersten Abtheilungen, worin ganz der alte Heine lebt und webt, glänzende Gerechtigkeit widerfahren. Nicht minder findet man den Witz des ›Wintermärchens‹ originell und Mark und Bein des Zieles treffend, aber mit dem cynischen Muthwillen, mit den übelriechenden Sprüngen, welche der Heine'sche Humor gegen den Schluß hin nimmt, kann sich unser sauberer, ehrbarer Sinn keineswegs versöhnen. Ich hüte mich wohl, ihm das übel zu nehmen. Es handelt sich hier um keine Prüderie, sondern um ein tief sittliches Gefühl, das der Dichter in seiner rücksichtslosen Ungenirtheit diesmal etwas zu sehr verletzt hat. Die Hamburgensien im ›Wintermärchen‹ ergötzten im Übrigen sehr. Daß aber unserer edlen Schutzgöttin Hammonia so arg mitgespielt wurde auf der Satyrsharfe, hängt wieder mit dem oben Gesagten zu eng zusammen, als daß viel Lob dafür hier gehört werden könnte.«

Jg. 3. II. Semester. Bd. 2. S. 186f.

Campe teilt Heine am 25. Oktober 1844 mit: »Der Telegraph wollte die Vorrede geben, so sagte Schirges –: er hat es bleiben laßen; statt dessen, hat er eine Art Recension geliefert –: ›Auf der Esplanade wohnen zwei große Männer: Heine, gegenüber, Gutzkow – Schirges aber steht dazwischen – bei den *Nothbuden*‹. Ich selbst habe das Zeug nicht lesen mögen, ich lese das Blatt überhaupt nicht, sondern ließ mir erzählen. Es soll gut gemeint seyn; aber was für ein Mensch er ist, das sehen wir klar« (HSA XXVI,114). Georg

Schirges (1811–79), der nach Karl Gutzkows Ausscheiden die Redaktion des Campe gehörenden »Telegraph für Deutschland« übernommen hatte, schreibt in der Ausgabe vom 23. Oktober 1844:

»Traun! Deutschland ist kein Strom voll Blüthen und lustigen Wellenspiels, kein Rosenhimmel, ist kein warmer Sommernachtstraum; – ist ein Fluß voll zähen Treibeises, ein Himmel voll frostigen Schneegestöbers, ist ein kaltes, trübes Wintermärchen. Aber Heine weiß es so lebendig, so treu vorzutragen, daß die deutsche Gänsehaut sich dabei heiß geprickelt fühlen muß. Von Heine's neuen Gedichten weiter unten; hier ein Paar Worte über das Vorwort zum Wintermärchen. Ich habe es entstehen und kommen sehen dies Vorwort; ich sah es, ehe es geschrieben ward und gedruckt stand, ganz leserlich mit feinen Zügen als ein satyrisch Lächeln die Lippen des Dichters umspielen. Dies Vorwort ward geschrieben zu Hamburg, auf der Esplanade, No. 19, im veilchenblauen Sammetschlafrock und weißen Unterhosen, auf dem Sopha, in der Belletage; vis-à-vis wohnte vor wenig Jahren ein anderer deutscher Dichter im obersten Stock. Lebhaft trat mir das Bild desselben vor die Seele, wenn mein Blick sich von dem bunten Fußteppich in Heine's Zimmer lös'te und zu seinem Fenster hinaufschweifte. Ich sah ihn im Geist an's Fenster treten, mit vorgebogenem Kopf ernst herabblicken; ich sah an seinen Scheiben drüben auch ein groß Stück Winter kleben. Es thut mir weh, daß ich's nicht aufthauen kann; es schmerzt mich, daß zwei große Geister in derselben Straße wohnen und thun können, als läge ein ganzes Eismeer zwischen ihnen. Ich blickte auf die Doppelreihe kleiner Nothhäuser, die seit dem Brande in der großen Straße stehen, ich sah den spärlichen Rauch von den niedrigen Dächern aufsteigen, und hinter ihnen die hohen, stolzen Palläste in die Luft ragen. In diesen kümmerlichen Baracken, in dieser Stadt en miniature, erblickte ich das ganze deutsche eingepferchte Leben, den langen deutschen Winter; sah ich mein Volk, mein Vaterland, und hörte sein Flehen und seine Klagen, die wahrlich laut genug sind, um

darüber Eure eigenen Leiden zu vergessen, die Euch hüben und drüben das Leben verbittern.
Heine's Wintermärchen und die Vorrede werden in der Tagespresse ein großes Ungewitter heraufbeschwören; ich seh' es kommen. Er klopft stark auf den Busch und noch stärker auf den Sack. Der ›Patriotismus, die Religion und die Moral‹ werden ihr Zeter schreien, werden die Person mit der Sache vermengen; tausend Dinge, die nicht zu ihr gehören, werden der ersteren aufgemutzt werden. Aber wahrhaftig, es hat Jeder genug vor seiner eigenen Thür zu fegen; wollten doch unsere Patrioten und Moralisten das beherzigen [...].
Man hat *Heine* den deutschen *Aristophanes* genannt; er nimmt in diesem Gedicht den Vergleich an. Heine hat mit dem berühmten Griechen die Schärfe des Spottes, die körnige, derbe Satyre und die Schönheit und Eleganz des Styls gemein. Um ein ganzer Aristophanes seyn zu können, müßten die Zustände der Gegenwart einige Ähnlichkeit mit denen der atheniensischen Demokratie haben, müßten unsere Marathon-Kämpfer weniger ›schlampampen‹, müßten wir weniger Scheu vor der Öffentlichkeit, müßten wir nicht die Langeweile des langen Friedens zu verdauen haben, kurz nicht zweitausend Jahre und darüber älter geworden seyn. Es ist eben Winter in und um uns; wie die Bären liegen wir zusammengekauert und saugen brummend an unseren Tatzen. [...] Wie ein spröder Wind weht uns diese Dichtung um die Nase, die seither so viel parfümirten, schwülen Duft respiriren mußte. Seinen köstlichsten Humor hat Heine in diesem Wintermärchen niedergelegt, das deutsche Zwerchfell und die Thränenfistel werden beide gleich stark von ihm afficirt. Wie viel Ernst in diesem Humor, werden die Feinschmecker bald herausfinden; Heine's politische Gesinnung ist in Caput XVI und in der Vorrede klar ausgesprochen. Sein Traum von Kaiser Rothbart ist eines der bedeutungsvollsten Gedichte, das vielen Anklang finden wird. Das liberale Moment, was sich überhaupt in der ganzen Dichtung offenbart, flößt Achtung vor der politischen Gesinnung des Dichters ein; und die ist für den Augenblick keine Nebensa-

che. Reichthum an sprudelndem Witz, überraschende Wendungen und originelle Gegensätze findet der Leser auf jeder Seite dieses Buches, das zur Linderung der deutschen Hypochondrie ganz geeignet ist. Wie einst die englischen Ärzte ihren Kranken den Swift[16] verordneten, so möge dies Wintermärchen den deutschen Gemüthssiechen empfohlen seyn.«

Nr. 169. S. 673f.

Julius Campe weist Heine im oben angeführten Brief vom 25. Oktober 1844 noch auf einige weitere Rezensionen hin und zieht dann folgendes Resümee:

»Genug, überall in kürzern und längern Artikel rührt es sich, wo die *Censur es geduldet.* – Indeß, ein allgemeines Urtheil stellt sich, hier wenigstens, fest: man ist der *Gemeinheiten* der *Lüderlichkeiten* wegen, *sehr indigniert.* Gegen Einen der für Sie spricht, sind zehn die *gegen Sie* auftreten.
Wie ich Ihnen gleich sagte, der Deutsche verträgt dergleichen Huren- und Nachtstuhl-Geschichten nicht. Sein Schiller wird immer vorgeritten, der solche Sünden nicht beging; die er deswegen auch nicht dulden will. –
Sie glauben nicht, wie die Menschen fatal, *nach der ersten* Verdauung, sich vernehmen laßen –: sie sind verletzt. Von anderen Orten weiß ich Ihnen nichts zu berichten, da die Preße sich nicht frei ergehen darf –, indeß das Buch geht und wo es nicht geht: wird es *getrieben* und zwar so getrieben, daß es ein günstiges merkantiles Resultat liefern *muß.* Wofür die Regierungen thätigst wirken.«

HSA XXVI,115.

Karl August Varnhagen von Ense (1785–1858), 1819 wegen ›demokratischer Neigungen‹ als preußischer Geschäftsträger am badischen Hof abgelöst und seitdem als Schriftsteller in Berlin lebend, berichtet Heine am 26. Oktober 1844:

16 Jonathan Swift (1667–1745), englischer Dichter, der mit polemischen Schriften in die Tagespolitik eingriff; sein Hauptwerk ist der satirische Roman »Gullivers Reisen« (1726).

»Ihre neuern Gedichte machen das größte Aufsehen, mit dem Schrei des Entsetzens wetteifert der Schrei der Bewunderung; alle Stimmen vereinigen sich, die volle Macht der Poesie, das hohe Walten des Genius anzuerkennen. In den Äußerungen, welche zum Druck gelangen, werden Sie diese Stimmen freilich nur sehr abgeschwächt vernehmen, ja aus dem Lobe hinaus und in den Tadel hinüber gedrängt. – Sie kennen ja die Umstände, und die Werkzeuge zum Theil! Aber jederman weiß, daß unsre Öffentlichkeit und das lebendig Thatsächliche zwei sehr verschiedene Dinge sind, und mancher Sinn, der Ihnen unter jener Maske der Öffentlichkeit feindlich erscheint, ist Ihnen zugethan im Innern, und meint wohl gar durch klugen Tadel Ihnen noch zu nutzen, wirft Ihnen vor, daß Sie unreine Reime brauchen (wie doch Schiller ebenfalls, und Goethe und Voß[17]) und nicht Aristophanische Verskünste treiben! Als ob es darauf ankäme, als ob hier nicht ganz andre Dinge in Betracht ständen! – Mein Bericht wird Ihnen um so unverdächtiger erscheinen, als Sie sich ohne Zweifel erinnern, daß ich immer der Meinung war, Ihr Genius würde am schönsten leuchten und am mächtigsten wirken, wenn er anstatt der Schärfe die Milde hervorkehrte, und er das Pathos im Menschen anspräche [...].«

HSA XXVI,117.

Varnhagens eigenes Urteil erhellt aus zwei Tagebucheintragungen (unter dem 13. bzw. 15. Oktober 1844):

»›Neue Gedichte von Heine‹ Ein ansehnlicher Band, bei Hoffmann und Campe eben erschienen. Ein wahres Bad der Erfrischung und Stärkung! Über den Kölner Dombau, über die deutschen Heucheleien, meisterhaft! Und so kühn wie nur je! Zum Erstaunen. Dem Könige sind bittre Sachen darin vorgehalten. – Noch ist das Buch nicht verboten. [...] Freiligrath[18] und Heine machen großes Aufsehen; der letz-

17 der für seine ›Formstrenge‹ bekannte Dichter und Übersetzer Johann Heinrich Voß (1751–1826).

18 Im August 1844 war »Ein Glaubensbekenntniß« erschienen, eine Samm-

tere hat einen ganz neuen Dichterruhm, einen frischen zweiten errungen, jederman gesteht, daß sein neuer Band von größtem Genius zeugt, daß er mit Recht sich einen Sohn von Aristophanes nennen kann. Die Dichter thun dem Könige großen Schaden!«

Aus dem Nachlaß Varnhagen's von Ense. Tagebücher von K. A. Varnhagen von Ense. Bd. 2. Leipzig: Brockhaus, 1861. S. 377 und 384f.

Die in Frankfurt a. M. erscheinende Zeitschrift »Didaskalia. Blätter für Geist, Gemüth und Publizität« bringt am 29. Oktober 1844 folgende Notiz:

»Heine's neue Gedichte haben auf dem Büchermarkte ein Aufsehen erregt, wie keins der früheren Werke desselben Verfassers. Eine Auflage von 3000 Exemplaren ist bereits vergriffen, und eine neue, welche 4000 Exemplare stark wird, befindet sich unter der Presse.«

Nr. 299.

Am 31. Oktober 1844 schreibt Ferdinand Freiligrath (1810–76) in einem Brief an den nicht näher bekannten Landrat Karl Heuberger über die »Neuen Gedichte«:

»Sie werden jetzt wohl schon in Preußen verboten sein, das muß Ihnen aber ein Sporn mehr sein, sie zu lesen. Ungezogeneres, aber auch Witzigeres, mag lange nicht unter einem Preßbengel hervorgegangen sein. Wenn Sie ›Deutschland, ein Wintermährchen‹ an einem trüben Novembernachmittage vornehmen, so garantir' ich, trotz der Herbstnebel, für den hellsten Sonnenschein in Ihrem Innern. Ich wenigstens bin, obgleich ich selbst in dem Opusculo einige Hiebe abkriege[19], bei'm Lesen fast unter den Tisch gefallen vor Lachen.«

Wilhelm Buchner: Ferdinand Freiligrath. Ein Dichterleben in Briefen. Bd. 2. Lahr: Schauenburg, [1882]. S. 130.

lung von ›Zeitgedichten‹, mit der Ferdinand Freiligrath erstmals als oppositioneller Dichter hervortrat.

19 Vgl. Cap. XI,27f. und 55f. (lat. opusculum ›Werkchen‹).

Anfang November 1844 veröffentlicht die in Leipzig erscheinende Zeitschrift »Die Grenzboten« ein die »Wintermärchen«-Strophe aufgreifendes Gedicht des österreichischen Schriftstellers Eduard von Bauernfeld (1802–90), und zwar mit folgendem Vorspann (»Aus Wien.«): »Heine's Gedichte finden hier die alten Bewunderer. Bauernfeld las uns in einem engeren Kreise folgendes allerliebste Gedicht vor, welches ich, da es in österreichischen Blättern nicht gedruckt werden kann, Ihnen zusende.«
Der Schluß des »An Heine« überschriebenen Gedichts lautet:

Ob Du der alte Heine bist?
Ich wüßt' es nicht zu entscheiden;
Doch sicher ist's: Du bist immer neu –
Das mag ich eben leiden.

Die Thräne rollt Dir noch vom Aug',
Und wie in früheren Zeiten;
Du hast die alte Grazie,
Und Kraft und Lust zu streiten.

Und wenn Du über Deutschland schimpfst,
So kommt's Dir aus dem Herzen;
Ach, was wir lieben, das macht uns ja
Die ungeheuersten Schmerzen.

Drum eben – ich begreif' es nicht,
Was Dich die Philister so meistern!
Lebte noch der alte Hofrath von Genz[20],
Du würdest ihn wieder begeistern.

Und gefällst Du mir und dem Hofrath von Genz,
So hast Du genug gefallen;
Ein Dritter findet sich auch noch ein –
Wer frägt zuletzt nach Allen!

20 Friedrich von Gentz (1764–1832), politischer Schriftsteller; ab 1802 im österreichischen Staatsdienst, ab 1809 vertrauter Mitarbeiter Metternichs.

Drum Vivat Heine-Aladin
Mit seiner Wunderlampe!
Und seine Gedichte drei Mal hoch!
Und ein Mal auch der Campe!

Ja, »es ist dieselbe Leier, die einst
Dein Vater ließ ertönen,
Der selige Herr Aristophanes,
Der Liebling der Kamönen!«

Jg. 3. II. Semester. Bd. 2. S. 335f.

Die in Frankfurt a. M. erscheinende Zeitschrift »Didaskalia. Blätter für Geist, Gemüth und Publizität« bringt am 4. November 1844 einen Bericht des Hamburger Korrespondenten, in dem es heißt:

»Die bei Hoffmann und Campe jüngst erschienenen, jetzt in mehreren Bundesstaaten bereits verbotenen ›Neuen Gedichte‹ von H. Heine haben viel zu reden gemacht, wie es zu erwarten stand. Wenn alle neuen Erscheinungen im Felde der Kunst und Literatur *nur mit Rücksicht auf die Zeit* beurtheilt würden, in welcher sie an's Tageslicht treten, dann würde mancher strenge Kritiker den zum Steinwurf erhobenen Arm ruhig wieder sinken lassen; aber das ist der Fehler der Kritik bei Tageserscheinungen, daß sie die Zeit nicht berücksichtigt und immer Partei ergreift. So wurden hier auch Heine's Gedichte beurtheilt; man hat sich vor Allem an den zweiten Theil derselben: ›Deutschland, ein Wintermährchen‹, gehalten, worin Hamburg arg mitgenommen worden, und das Verdammungsurtheil der *Patrioten* war so ziemlich allgemein und schnell bei der Hand. Der Verleger Campe freut sich außerordentlich, daß das Verbot der Gedichte gekommen und erst jetzt gekommen ist, wo die 5000 (?) Exemplare schon in die Welt gewandert und gelesen sind; denn nichts reizt den Käufer mehr, als ein Verbot. Also ist der Zweck erreicht und der Zweck war und ist jetzt überall Erwerb, Nutzen, Vortheil und Aufsehen [...] wer sich die ersten Theile von den Werken H. Heine's angeschafft hat, der completirt sie gewiß durch den letzten; denn die geschmeidige, pikante Form, den Sarkasm, die Kralle des Mephistopheles findet er hier eben wieder neben der Zote, der Schmähung des Heiligsten und mancher Wahrheit. Die Gesinnung also findet man durchaus verwerflich; das Talent aber muß auch hierin wieder anerkannt werden, und wäre ohne Parteilichkeit eben so leicht nachzuweisen, wie der Schmutz, der freilich öfterer zu Tage liegt.«

Nr. 305.

»Die Festigkeit des öffentlichen Urtheils über Heinrich Heine« überschrieb der nicht näher bekannte J. E. Braun seinen am 27. November 1844 in August Lewalds Zeitschrift »Europa. Chronik der gebildeten Welt« erschienenen Artikel, in dem er sich eingehend mit den »Neuen Gedichten« befaßt und abschließend über das »Wintermärchen« urteilt:

»Nun aber kommt ›*Deutschland.* Ein Wintermährchen. Geschrieben im Januar 1844‹, – das Allergefährlichste in dem Buche. Damit das Gift um so schneller eindringe, hat man es auch besonders abgedruckt; die Polizei ihrer Seits hat es verboten. Ich meine, man kann dieß Wintermährchen ziemlich ruhig und harmlos hinnehmen. Heine ist politisch zu ungefährlich; diese Scherze sind nur Pfeile, welche die Haut ritzen, – einer Staatsverfassung thun sie nichts. Ich habe die 27 Capita leidlich vergnügt gelesen; zu den terroristischen Ausfällen habe ich gelächelt, weil ich nicht an sie glaube, zu den vielen guten Witzen gelacht, bei dem Besuche der Hammonia die Nase zugehalten, in der That ärgerlich über Heine, mich an einigen poetischen Anklängen, wie ›Sonne, du klagende Flamme‹ erholt und mich endlich über eine gewisse Stelle ziemlich kindisch gefreut. Es war dieß das Lob der ›lieben, guten Westphalen‹, der Göttinger Verbindung dieses Namens nämlich, die ›so ehrlich gemeinte Quarten und Terzen‹ geschlagen. [...]
Das Exemplar des Buches, welches ich vor mir habe, hat Heine selbst einem Freunde geschickt. Er sendet mit ihm

›heitere Grüße, die er am liebsten mündlich brächte.‹ Warum hat er sie nicht mündlich gebracht? Warum hat er nicht seinem Vaterland in Person seine heiteren, schönen Liedesgrüße zugestellt, statt ihm dieses Buch zuzusenden? Wird er es überhaupt wieder begrüßen? – denn diese Schmähungen und bösen Scherze, wenn auch zum Theil in Deutschland entstanden, sind kein Gruß. Heine wird alt; ich fange an zu zweifeln, daß jemals das Zauberwort gesprochen wird, welches aus der schönen bösen Schlangenhaut die verzauberte Prinzessin hervorgehen läßt.«

Bd. 4. S. 522f.

Die in Paris erscheinende Zeitschrift »Le National de 1834« würdigt das »Wintermärchen« in der Ausgabe vom 16. Dezember 1844:

»Herr Heine hat in diesem Jahr ein neues Gedicht veröffentlicht, das ihm seine vaterländischen Gefühle eingaben, als er nach dreizehnjährigem Exil den Boden seines Landes berührte: ›Deutschland. Ein Wintermärchen‹: dieses Gedicht ist ein Meisterwerk satirischer Phantasie und freiheitlicher Vorstellung, das wie die anderen Werke des Autors den englischen ›Humor‹ mit der deutschen Träumerei vereint und beweist, daß das Herz des Dichters sich immer gleich geblieben ist, nämlich wie einst geteilt zwischen den Widerwillen gegen den königlichen oder priesterlichen Despotismus und die leidenschaftliche Liebe zu Freiheit und Brüderlichkeit. Dieses Gedicht hat in Deutschland starkes Aufsehen hervorgerufen; und seine Übersetzung, die uns die Revue de Paris soeben wiedergegeben hat, wird bestimmt in Frankreich einen ähnlichen Erfolg haben. Der Dichter hatte vielleicht niemals seine französische Seelenverwandtschaft so freizügig enthüllt; er hatte auch niemals den Absolutismus jenseits des Rheins mit derart beißenden Versen gegeißelt; niemals hatte er einen derart unerbittlichen Krieg gegen die Tyrannen seines Landes geführt, gegen ›dieses Preußen, den bigotten und großgewachsenen, gefräßigen und prahlerischen Helden in Gamaschen, mit seinem Gefreitenknüppel, den er in Weihwasser taucht, bevor er zuschlägt‹[21]; niemals hatte er schließlich dieses ganze inquisitorische Mönchstum, bei dem ›sich die Boshaftigkeit mit der Dummheit paart‹, so kraftvoll verflucht. Wir haben, wenn wir zitieren wollen, lediglich die Qual der Wahl unter mehreren Passagen, die gleichermaßen vor Begeisterung, Wut und Poesie sprühen: die Rheinrede, die Nachtwache im Kölner Dom, die spöttischen Danksagungen an Hermann, den Varusbezwinger, etc. etc.«

Übersetzung nach: Heine. Sämtliche Schriften. (HSS). Hrsg. von Klaus Briegleb. Bd. VI/2. München: Hanser, 1976. S. 538.

Über die durch diesen Artikel und eine gleichfalls wohlwollende Besprechung in der Pariser Zeitschrift »Le Charivari« (Nr. 323, 19. 11. 1844) ausgelöste Pressefehde um Heine berichtet am 1. Januar 1845 die Augsburger »Allgemeine Zeitung«:

»Die *Revue de Paris* und mehrere andere Blätter brachten Übersetzungen, vollständig oder im Auszug, von Heinrich Heine's neuestem Gedicht, der mythischen Fahrt nach Deutschland. In diesem Fall waren auch der *National* und das *Charivari*, und es war überall ungetheiltes Wohlgefallen an diesem jüngsten Erzeugniß der Muse des ›ungezogenen Lieblings der Grazien‹. Nun liefen aber von Seite der deutschen Radicalen Reclamationen ein, Stimmen die dem Dichter diese Anerkennung des Radicalismus mißgönnten, die sich warnend vernehmen ließen, er sey ein falscher Bruder, habe Lobartikel über Hrn. Guizot[22] in die Allg. Zeitung geschrieben u. dgl. Der *National*, verblüfft, erklärte unter diesen Umständen sein Lob zurücknehmen zu müssen.[23] Dabei blieb die Sache nicht ruhen. Der National vom 27. Dec. meldet wie folgt: ›Wir haben seit zwei Tagen viele

21 Vgl. Heines Vorrede zu den »Französischen Zuständen« (HSS III,95).
22 François Guizot (1787–1874), französischer Historiker und Staatsmann; als Führer des ›rechten Zentrums‹ entschiedener Verfechter der bürgerlichen Monarchie (Louis Philipp, 1830–48) in Frankreich.
23 in der Ausgabe vom 23. 12. 1844 (vgl. HSS VI/2,539f.).

Briefe und Besuche erhalten, in Betreff der Discussion die sich zwischen Hrn. H. Heine und einigen deutschen Patrioten erhoben hat. Hr. Heine, der auch seine Freunde hat, hat uns einen Brief geschrieben,[24] in welchem er gegen die Anschuldigung die revolutionäre Partei Frankreichs angegriffen zu haben nachdrücklich sich verwahrt. Er hat uns eine Stelle seines Buchs (Französische Zustände) vorgelegt, wo er im Gegentheil den republicanischen Kämpfern und Gefallenen von Saint-Mery großes Lob spendet.[25] Was seine Correspondenzen nach Deutschland anlangt, so macht er bemerklich daß, da die deutsche Presse unter Censur steht, man unrecht habe ihm Dinge vorzurücken die nicht von ihm unterzeichnet seyen. Andrerseits ist uns ein neues Schreiben zugekommen, das auf den frühern Anklagen beharrt und selbst zu neuen Beweisen erbötig ist.‹ Der National schließt diese persönliche Polemik mit einer Ermahnung an alle deutschen Freiheitsfreunde zur Eintracht, einer solchen Gemeinschaft der Ideen, welche für die europäische Civilisation wünschenswerth und höchst nützlich sey zum Widerstand gegen zwei Aristokratien, eine Aristokratie des Goldes und der Materie die von England ausgehe, und eine Aristokratie roher Gewalt die aus dem Innern von Rußland herausdrohe. Ähnlich lautet die Erklärung des *Charivari*[26]; es will die Anklage, da sie von achtungswerthen deutschen Patrioten komme, nicht gerade verwerfen, ist jedoch geneigt das obige Gedicht als eine Rückkehr zu bessern Ideen zu betrachten, vorausgesetzt daß der Verfasser auf der eingeschlagenen Bahn beharre [...].«

Nr. 1. S. 3.

Der mit Heine bekannte junghegelianische Publizist Arnold Ruge (s. Kap. III), der das »Wintermärchen« in einem am 16. Oktober 1844 an Julius Fröbel gerichteten Brief als »ge-

24 Der Brief datiert vom 25. 12. 1844 (vgl. HSA XXII,148).
25 Gemeint ist die Schilderung der blutig niedergeschlagenen Revolte in Paris vom Juni 1832 (vgl. HSS III,218–221 und 240–243).
26 in Nr. 359 vom 25. 12. 1844 (vgl. HSS VI/2,540).

lungene Satire« voller »Witz, Geist, Cynismus und, wie gewöhnlich, Subjectivismus« charakterisiert[27], schreibt in einem vom 1. bis 7. Januar 1845 im Hamburger »Telegraph für Deutschland« veröffentlichten Artikel:

»Heine's neueste Satiren sind meist gelungen, das feine Genre ist klassisch, die Excesse dagegen und die directen Trümphe, z. B. der X ist ein ›deutscher Lump‹, sind schlechter Geschmack, der Witz ist Poesie, und sein Princip das ihm jetzt erst selbst vollkommen klar geworden, ist so positiv, als die Menschheit selbst. Das Menschliche, was ihm dabei begegnet, die poetische Eitelkeit und der – ›kluge Egoismus‹ sind uns bekannt. Heine hatte immer einen humanen Instinct. Man wende seinen Spott nicht ein, es ist des Skandals genug, wenn man das Menschliche in jedem Sinne hervorhebt, und für unsern Ironiker gab es allerdings eine Zeit, wo er dem Menschen zu wenig und dem Schwein im Menschen, um mit Lessing zu reden, zu viel zutraute. Etwas von diesem Unglauben hängt ihm noch immer an. Er hat sich zwar zu den neuen ›Menschheitserrettern‹ geschlagen, aber die Geschichte hat ihre Schwierigkeiten, die er nicht verkennt, im ›Wintermährchen‹ spricht er sich aus. [...]
Die epigrammatische Form, die in dem Nachtwächterliede ganz so wie in Heine's früheren Witzgedichten herrscht, ist in dem ›Wintermährchen‹ zu einer totalen Ironie erweitert.
Heine's Ironie hat sich nicht geändert, sie ist die totale, die absolute Kritik, nur ihren Gegenstand nimmt sie in einer andern Sphäre als früher, und die Monotonie ihrer Form hat sie durch eine scheinbare Harmlosigkeit und durch die allergrößte, fast prosaische Leichtigkeit des Verses ersetzt. Heine hatte immer das Princip, seine Verse nicht zu zwingen, hier läßt er sie nun vollends machen was sie wollen.
Die absolute Kritik in der Poesie ist die absolute Komödie, die Komödirung von Allem. Die gewissenlose Dialektik,

27 »Arnold Ruges Briefwechsel und Tagebuchblätter«, hrsg. von Paul Nerrlich, Bd. 1, Berlin 1886, S. 369.

auch eine Gabe unserer liebenswürdigen Zeit, ist nirgends berechtigt, als in der Komödie, der man es mit Freuden zugesteht, daß sie keinen andern Zweck hat, als ihren Witz, wenn sie diesen nur weder verfehlt, noch verdirbt.
Heine unterscheidet sich eben dadurch von den übrigen politischen Dichtern, daß sie ihren Witz in den Dienst einer bestimmten Richtung geben, er aber in seiner Komödie keinen Glauben und keine Treue hat. Bei alledem ist Heine *außer* seiner Komödie nicht principlos und seine Komödie selbst ist, wie alle Komödie, revolutionär. Der alte Barbarossa wirft ihm das auch vor. [...]
Es giebt nichts, das heiterer und liebenswürdiger verliefe, als diese Vermenschlichung der alten Kiffhäuser Schnurre. Wäre es doch eben so leicht, ganz Altdeutschland zu humanisiren! Allerdings, wer leicht anfaßt, hebt auch leicht; und die Alles enthüllende alternde Zeit wird noch manches neue Sommer- und Wintermährchen ans Licht bringen müssen, ehe die alten Mährchen weichen.«

»A. Ruge über die neueste deutsche Poesie« in Nr. 1, 3 und 4.

Franz Dingelstedt (1814–81), auf den Heines ›Zeitgedichte‹ »Bei des Nachtwächters Ankunft zu Paris« und »An den Nachtwächter« gemünzt sind, äußert in einem Brief an Campe vom 10. Januar 1845:

»Heines ›Neue Gedichte‹ haben mir so viele Freude gemacht, daß ich zu keinem Verdruß über seine zweideutige Vermittlung mit mir kommen konnte. Das ist ein herrliches, frisches Buch, welches mich unendlich tiefer anregte als Freiligraths gleichzeitiges Neupreußentum in allen Jamben. Wenn Sie nach Paris schreiben, senden Sie dem liebenswürdigen Sünder meinen unverwüstlichen Gruß.«

Zitiert nach: Berliner Börsen-Courier. Jg. 46. Nr. 289. 24. 6. 1914. Morgenausgabe. 1. Beilage.

Am 14. Juli 1846 berichtet die »Deutsche Allgemeine Zeitung« über das Gerücht, Heine befinde sich in einem Pariser

Irrenhaus; am 31. Juli bringt sie die Meldung über seinen (angeblichen) Tod. Der Schriftsteller Adolf Ebeling (1822 bis 1896) würdigt den Dichter in einem am 15. August 1846 veröffentlichten Nachruf (»Heine todt!!«):

»Was wir verloren haben an Heine, wird uns erst später klar werden. Jene zarte, liebliche Lyrik, deren eigenster Schöpfer er gewesen, ist nicht untergegangen mit seinem Tode; viele Dichter der Neuzeit, die meisten beinahe, hingen ihm nach und Einige erreichen ihn fast, oder werden ihn später erreichen, wenn ihm gleich der Kranz des voranstrebenden Genius bleibt, der die Bahn brach. Aber es ist noch etwas Anderes, und in unserer Zeit Unersetzliches, mit Heine gestorben. Denkt an seine *Wintermährchen*! Da trat er, der Vielgeschmähte, Vielverkannte für sein Vaterland von Neuem in die Schranken; und dann sagen sie ihm nach, er habe Deutschland nicht geliebt. Hat er doch aus Liebe zu seiner Braut, wie er sein Vaterland nennt, die Braut selbst hingegeben! Ihr dürft nicht voreilig nach dem Nutzen, nach den Früchten fragen, die uns sein Wintermährchen gebracht; bei uns darf man das leider nie, wo von gewissen Bestrebungen die Rede ist. Auch war damit nur die Bahn verzeichnet, die Heine für die Zukunft gehen würde. Es war das erste Häufchen Reisig, das er hinwarf, um die Flamme weiter anzufachen des erwachten Volksbewußtseins; er hatte sich bereits Bäume und ganze Wälder ausersehen, an die er gehen wollte mit seiner blitzenden Axt; er trug sich mit großen Plänen eines künftigen Schaffens und Strebens – da kam der Tod.«

Ulmer Kronik. Nr. 217.

2. *Rezeption im 20. Jahrhundert*

Im Rückblick auf die Rezeption des »Wintermärchens« im 19. Jahrhundert schrieb Rainer Maria Rilke (1875–1926) 1894 folgende Verse als Teil eines Gedichtkreises auf Heine:

Dem Franken selbst krümmt man kein Härchen,
der offen über Deutschland spricht;
allein das wahre »Wintermärchen«
verzeiht man einem Deutschen nicht.

Grüb jeder nur mit scharfem Stichel
die Fehler alle frei herauf, –
leicht gingen dann dem deutschen Michel
die – blauen Augen endlich auf.

Rilke: Sämtliche Werke. Bd. 3. Wiesbaden: Insel-Verlag, 1959. S. 433.

Der Literaturhistoriker Richard M. Meyer (1860–1914) urteilt 1911 über das »Wintermärchen«:

»Die Romantik tritt hier stärker zurück als in ›Atta Troll‹ es die Satire hatte tun müssen. Die mythenbildende Kraft ist auch hier auf voller Höhe in der großartigen Erfindung des ›Liktors‹, in der genialen Umdeutung des Kruzifixes in ein Warnungszeichen. Aber indem sie auch in den unmittelbaren Dienst der politischen Satire gestellt wird, kommt jenes Symbol von Hammonias Nachtstuhl zustande, dessen unappetitliche Ausführlichkeit selbst dann durch keine Berufung auf Freiheiten des Aristophanes entschuldigt werden könnte, wenn es nicht noch obendrein durch die widerliche Verbindung des Häßlichsten mit vaterländischen Sinnbildern unerträglich würde. Und diese schlimmste Erfindung des Dichters wird noch obendrein an die wirksamste Stelle gesetzt, so daß das an sich auch nicht unbedenkliche, aber durch Witz und Anschaulichkeit versöhnende Bild des gutmütigen altmodischen Barbarossa ganz in den Hintergrund gerät. Der Witz hat allein über den Stoff zu gebieten, was ihm freilich nicht bloß in dem geistreichen Phantasiegemälde einer Germania irredenta[28], sondern auch in zahllosen Einzelhieben auf Schriftsteller, politische und persönliche Verhältnisse vortrefflich gelingt. Aber wo bleibt das Romantische der romantisch-politischen Dichtung? Wie wenig hat

28 von ital. terra irredenta ›unerlöstes Gebiet‹.

Heine der Poesie des Rheins oder Kölns abgewinnen wollen! während doch die anschauliche Skizze des Regenwetters auch hier seine Kunst beweist.
So bleibt als poetische Leistung in diesem ›Wintermärchen‹ ohne Erlösung neben dem zentralen sechsten Kapitel beinah nur die erstaunliche Virtuosität der witzigen Reime übrig, und allenfalls das wichtige Geständnis des dreiundzwanzigsten Kaputs. Doch nein! die Kraft und der Schwung dürfen nicht übersehen werden, mit denen der zweite Teil des einleitenden Gesangs das philosophisch-dichterische Glaubensbekenntnis des Dichters entwirft [...]. Im ganzen – das witzigste Feuilleton der Weltliteratur, und das erstaunlichste Kunststück einer zu allem fähigen Vers- und Reimkunst; aber kein Kunstwerk vom Rang des ›Atta Troll‹ oder auch nur vieler kleinerer Zeitgedichte Heines. Hätte er der geheimen Sentimentalität, die durch manche schöne Strophe durchbricht, mehr Raum gegönnt! hätte er, was beabsichtigt scheint, die geliebte und verehrte Mutter zum Sinnbild des lang entbehrten Vaterlandes gemacht – vielleicht wäre ein genügendes Gegengewicht gegen zu vielen und zu starken Witz entstanden.«

Heine: Atta Troll. Ein Sommernachtstraum. Deutschland. Ein Wintermärchen. Berlin: Fischer, [1911]. Einleitung, S. XIIIf.

Der Heine-Forscher Friedrich Hirth (geb. 1878) schreibt in einer Darstellung der »Geschichte des Werkes«:

»Es läßt sich bis ins kleinste und feinste aufzeigen, wie die Geschehnisse von 1840–1843 Heine den Stoff seines Epos bereiteten, das sich demnach als ein Werk des freiest schaltenden Realismus darstellt, wobei freilich die Form bestes romantisches Gut blieb. In dieser künstlerischen Durchdringung realistischen Geistes mit romantischer Form liegt die technisch hochzuschlagende Meisterschaft des Gedichtes. Hier war gezeigt, daß selbst der kühnste politische Radikalismus sich in ein idealistisches Kleid hüllen lassen könne, daß die schöne Form nicht durch die Tendenz verdrängt

werden müsse. Wenn Heine es seinem ›Wintermärchen‹ nachrühmte, daß es der ›prosaisch-bombastischen Tendenzpoesie hoffentlich den Todesstoß geben werde‹ (an Campe, 17. April 1844), so war dies keine Überhebung. Was die Dichtung der Romantiker besonders charakterisiert – Traumbilder, lyrische Sagen- und Märcheneinlagen – war hier verwertet, und dennoch kam die Wirklichkeitsschilderung rein zum Ausdrucke. Daß er ein ›politisches und schlechtes Gedicht geschrieben hätte, das ihm die Musen verzeihen mögen‹, wie er an Meyerbeer (10. Juni 1844) schrieb, kann die objektive Beurteilung des Werkes nicht einräumen, wenn sie sich dessen künstlerische Vorzüge vergegenwärtigt.
Ob man mit der Tendenz des ›Wintermärchens‹ im Großen und in Einzelheiten einverstanden sein müsse, gehört natürlich auf ein anderes Blatt. Aber selbst ein so strenger Beurteiler Heines, wie es Treitschke[29] war, mußte einräumen, daß dem Werke Folgerichtigkeit und Geschlossenheit als Satire zuzubilligen sei. Daß diese Satire einmal (in der Prophezeiungsszene der Hammonia) die Grenzen des guten Geschmackes bedenklich überschreitet, muß unumwunden zugegeben werden. Nur darf doch nicht übersehen werden, daß auch hier bestimmte Tendenz vorwaltet, die Friedrich Wilhelm zeigen sollte, wohin ihn seine Aristophanesbegeisterung führen könne. Denn, wie Heine selbst in Kap. XXVII anführte, fand er für die unangenehme Situation bei dem literarischen Günstling des Königs ein Vorbild, und er wollte beweisen, daß der von dem preußischen Herrscher bevorzugte antike Dichter eigentlich weit kräftiger über die

29 Der Historiker Heinrich von Treitschke (1834–96) schreibt im 5. Teil seiner »Deutschen Geschichte im Neunzehnten Jahrhundert« (Leipzig 1894, S. 380f.): »[...] all dieser Hohn und Haß kam unzweifelhaft aus den Tiefen des Herzens. Auch das leichte gereimte Versmaß mit seinen scheinbar kunstlosen und doch dem Genius unserer Sprache fein abgelauschten Hebungen und Senkungen gab dem Wintermärchen einen frechen Schwung [...]. Grade dies Gedicht, eines der geistreichsten und eigenthümlichsten aus Heine's Feder, mußte den Deutschen zeigen was sie von diesem Juden trennte. Die arischen Völker haben ihren Thersites, ihren Loki; einen Ham, der seines Vaters Scham entblößt, kennen nur die Sagen der Orientalen.«

Stränge schlage als alle modernen, die in Acht und Bann getan seien. Verfehlt war Heines Mittel, sich dadurch, daß er Aristophanes vergröberte, bei dem König in Gunst zu setzen, wie ja alle seine Versuche, zu einem leidlichen Einverständnisse mit Preußen zu gelangen, immer gescheitert waren. Unangebracht wäre es aber, Heine zu unterschieben, daß er aus bloßer Freude an der Obszönität die wenig erfreuliche Szene geschaffen habe. [...]
Immer wieder begegnet in Heines Leben der der Tragik nicht entbehrende Zug, daß er sich mit denen am wenigsten vertrug, denen er sich hätte verwandt fühlen müssen, daß oft um bloßer äußerlichen Anlässe willen tiefgehende innere Übereinstimmungen aufgelöst wurden. So ist es vielleicht nur ein unglückseliges Mißgeschick, daß Heine gerade Friedrich Wilhelm IV. poetisch am heftigsten befehden mußte, obwohl dieser über Verse Heines Tränen vergoß und Neigungen dieses Königs denen des Dichters in vieler Beziehung entsprachen. Der der Verehrung des Mittelalters zugekehrte Sinn des Fürsten hätte gerade bei Heine größten Anklang finden müssen, der seine eigenen Jugendneigungen jetzt zum Leben erweckt sah und dennoch im ›Wintermärchen‹ gerade darüber die blasphemistischsten Bemerkungen fallen ließ, die er auch in die Form von Prophezeiungen kleidete, die sich niemals verwirklichen sollten.«

Heine: Deutschland. Ein Wintermärchen. Faksimiledruck nach der Handschrift des Dichters. Hrsg. von Friedrich Hirth. Berlin: Lehmann, 1915. S. 10 bis 12.

In der Einleitung zu einer 1923 erschienenen Ausgabe des »Wintermärchens« und des »Atta Troll« schreibt der Dichter Alfred Döblin (1878–1957):

»Nach seiner Reise durch Deutschland [Spätherbst 1843; er ist sechsundvierzig Jahre alt; sein tödliches Nervenleiden macht die ersten Zeichen] schlägt er noch einmal in einem geschlossenen Werk auf die ›prosaisch-bombastische Tendenzpoesie‹. Das Wintermärchen ›Deutschland‹ wird eine

allgemeine politisch-menschliche Auseinandersetzung mit diesem Land, das seine Heimat ist und aus dem er verbannt ist. In dem Vorwort spricht er von seiner Liebe zu dem Vaterland, von ›seinen‹ Deutschen. Er nennt aber auch sein Buch ›nicht bloß radikal, revolutionär, sondern auch antinational‹. [...]
Warum sein Buch ›antinational‹ ist, sagt Heine im Vorwort. Er wünscht nicht, daß sich die beiden auserwählten Völker der Humanität die Hälse brächen zur ›Schadenfreude aller Junker und Pfaffen dieses Erdballs‹. Elsaß-Lothringen will er nicht an Deutschland geben wegen der Rechte, die diese Provinz durch die französische Staatsumwälzung gewonnen hat. Der deutsche Servilismus ist auszurotten. Bei dem ›verschollenen Liebesruf: vive l'empereur‹ weint er. Den romantischen Barbarossawahn verhöhnt er. Er leuchtet mit Klarheit und Liebe durch Deutschland. Ist das nicht antinational?
Er war ein Jude, und nur als Jude hat er so schreiben können? Schlimme Frage.
In ›Deutschland‹ hat sich Heine auf seine Reisebilder besonnen. Das ›Wintermärchen‹ ist ein formloses Ding geworden, durch das die Postkutsche fährt. Es bleibt an Gestaltung hinter ›Atta Troll‹ zurück. Nonchalant sitzt aber in der Postkutsche Heinrich Heine und sagt: ›Es ist genug, wenn ich drin sitze.‹ Sein Übermut, seine Schärfe, sein helles Urteil sind da. In den Gesprächen mit Barbarossa und der Hammonia gewinnt er große Plastik. Im ganzen ist er unbeschränkter Beherrscher seines Stils; die Leichtigkeit der Darstellung ist überall wunderbar und ein Labsal. Freilich verführt ihn nicht selten die Routine; es gibt leere, klingende Stellen; er wird zum Heine-Epigonen.«

Döblin: Aufsätze zur Literatur. Olten/Freiburg i. Br.: Walter, 1963. S. 277–279.

In einem 1944 im New Yorker Exil verfaßten, »Deutschland, ein Wintermärchen« überschriebenen Essay würdigt der Schriftsteller Hermann Kesten (geb. 1900) Heines Verssatire als »eines der großen komischen Poeme der Weltliteratur« und zieht die Parallele zwischen der Situation Deutschlands 1844 und 100 Jahre später:

»Kein anderer deutscher Dichter (trotz Goethe und Nietzsche) hat die Deutschen so verlacht, verspottet, verhöhnt, verurteilt und verdammt wie Heine, obwohl er Deutschland so heiß geliebt hat, wie die alten Propheten Jerusalem, und ein besserer Patriot war, als jene professionellen Patrioten, die ihr Brot damit verdienen, daß sie in ihrem Lande alles besser finden als überall anders. Aber Heine führte nicht nur den Krieg gegen Preußen und den König Friedrich Wilhelm IV. und gegen den König von Hannover und Metternich und gegen die Väter der SS und SA, die altteutschen Turner, und gegen den spirituellen Großvater von Goebbels, den witzigen Gentz[30], und gegen die deutschen Zensoren, und den Gestank der deutschen Zukunft im 19. und 20. Jahrhundert. Heine lachte über *alle* Tyrannen, er verspottete *alle* Zensoren, er wollte die gleichen Gesetze für *alle* Menschen, und den gleichen Genuß für alle.
Dieser witzige Sohn der großen Französischen Revolution ward die Stimme aller Revolutionen, eine Stimme aus Musik und Feuer.
Dieses Poem vom Deutschland von 1844, gegen das alte ewige Deutschland, und für das neue, bessere Deutschland ist eines der schärfsten revolutionären Lieder des 19. Jahrhunderts.
Die meisten revolutionären Gesänge verderben wegen der Erfüllung ihrer Forderungen. Heines Poem hat 1944 den frischen Atem behalten, den es 1844 hatte. Seine Poesie ist unsterblich, sein Witz unvergänglich geblieben. Leider sind auch seine Probleme aktuell wie vor hundert Jahren. Die Dienstbarkeit hat sich auf Erden nur verbreitert und ihren Schlupfwinkel im Himmel nicht aufgegeben. Der Gott im Menschen ist mehr erniedrigt als seit Jahrhunderten. Die Menschenwürde ist in Gefahr, bis auf die Vorstellung von

30 Vgl. Anm. 20.

ihr, verlorenzugehen. Das Individuum ist nur noch eine zoologische Rarität. Das arme, glückenterbte Volk ist unter vielen Flaggen und Parteilosungen arm geblieben und weiterhin enterbt und betrogen worden.
Dieser witzige Deutsche, dieser witzige Jude, ein Prophet des 19. Jahrhunderts, ist ein Herold und Prophet noch im 20. Jahrhundert geblieben.
Die Feinde der Menschheit fürchten und proskribieren und schweigen ihn heute noch tot. Es sind die alten Feinde der Menschheit, dieselben 1844 wie 1944, Antisemiten, Reaktionäre und Chauvinisten, Heuchler und Tyrannen in Uniformen und Religionsröcken, und im Zivil.
Wo man aber gegen die Tyrannen kämpft, gegen das überkommene Unrecht und den vererbten Aberglauben, gegen alle Privilegien und Vorurteile der Geburt, der Rasse, der Klasse, der Nationalität, und der Sozietät, gegen die moralischen, politischen, ökonomischen, religiösen und sozialen Seuchen, da ist Heine der Sprecher der Humanität, ein Wortführer der Menschheit.
Wenn Lächerlichkeit töten würde, gäbe es seit Heine keine preußischen Tyrannen mehr, und Heine hätte auch viele andere Feinde der Menschheit zu Tode gelacht. Unter den großen Spöttern der Menschheit, den lachenden Kämpfern gegen die Anti-Humanen, von Aristophanes bis Mark Twain, ist Heine der Aktuellste.
Heine hatte keinen Respekt und keine Furcht vor den ›Führern‹ des 19. Jahrhunderts und vor den blöden Kleinkönigen von 1844, vor Ernst August von Hannover, Friedrich Wilhelm IV. von Preußen, Ludwig I., dem angestammelten König der Bayern, oder vor Zaren und Zensoren, Habsburgern und Polizeispitzeln, obwohl sie mit Haftbefehlen, Zensurverboten, Auslieferungsverlangen, Ehrabschneidungen, moralischen und auch physischen Anschlägen nicht sparten. Auch fraternisierten die europäischen Regierungen damals wie später lieber mit regierenden Meuchelmördern als selbst mit Erzengeln, wenn diese im Gewande von politischen Flüchtlingen reisten.

Heine hatte keine Furcht (oder er überwand sie): allein, ohne den Schutz einer Partei, einer Regierung, einer Armee oder Kirche, eines Bundes oder auch nur materieller Unabhängigkeit trat er gegen alle gefährlichen (und einige ungefährliche) Tyrannen des 19. Jahrhunderts und gegen die ewig herrschenden Mächte des Unrechts auf. Und es fehlte damals ebensowenig am Beispiel leidender deutscher Dichter in Europa wie hundert Jahre später.
Von 1814 bis 1844 verschmachteten freie Deutsche auf preußischen, württembergischen, bayerischen Festungen, wie sie von 1933 bis 1944 in deutschen Konzentrationslagern verschmachteten. Sie liefen im 19. wie im 20. Jahrhundert außerhalb der chinesischen Mauern Germaniens in den Gefilden Europas und Amerikas umher, halb Märtyrer, halb Propheten.«

Kesten: Der Geist der Unruhe. Köln: Kiepenheuer & Witsch, 1959. S. 74–76.

Der Schweizer Literaturhistoriker Walter Muschg (1898 bis 1965) urteilt 1948:

»Heine, der gefährlichste literarische Gegner der deutschen Fürsten, vermochte niemals eine große dichterische Vision gegen sie auszuspielen. Er trumpfte nur mit dilettantischen Utopien auf, die er später selbst mit Lächeln las. Als vom Heimweh getriebener Emigrant reiste er 1843 in das Land seiner Väter, und das Wintermärchen ›Deutschland‹, in dem er dieses Wiedersehen schildert, ist nichts weniger und nichts mehr als das schlimmste Pamphlet, das je gegen die Deutschen geschleudert wurde. Wie Nietzsche wütet Heine im Grund gegen sich selbst, indem er alles Deutsche höhnend in den Schmutz tritt, und weiß, daß es so um ihn steht: dort, wo er im Kölner Dom seinen Dämon die Statuen der heiligen drei Könige erschlagen läßt und blutüberströmt erwacht. Er schließt das Buch mit einer Warnung an den preußischen König, die lebenden deutschen Dichter besser zu behandeln, da sie ihn sonst wie Dante in eine Hölle ohne Erlösung verdammen könnten. Aber er irrte sich. Nicht jeder verfolgte Schriftsteller verfügt über Dantes bindende und lösende Macht. Ein Feuerwerk ist kein ewig brennendes Höllenfeuer.«

Muschg: Tragische Literaturgeschichte. Bern: Francke, 1948. S. 253.

Für den marxistischen Philosophen und Literaturhistoriker Georg Lukács (1885–1971) ist das »Wintermärchen« Heines »größte und bedeutendste Dichtung«. Er sieht das »Grundproblem dieses Gedichts« im »Kampf gegen die Romantik«, der für den Dichter »stets ein politischer Kampf« gewesen sei:

»Die deutsche Romantik konnte nur im Mittelalter ein Gegenbild zur gegenwärtigen nationalen Schmach finden. Auf diesem Boden ist die Volkslegende von Kaiser Barbarossa entstanden, der in Wirklichkeit nicht gestorben sei, sondern mit seinem Heer im Kyffhäuser schlafe, um, wenn die Stunde geschlagen hat, zu erwachen, Deutschland zu befreien und an den Feinden der deutschen Freiheit eine fürchterliche Rache zu nehmen. Es ist klar, daß die Lebendigkeit und die dichterische Bearbeitung solcher Legenden einen sehr bestimmten, politischen Inhalt hat. Sie widerspiegeln nicht bloß die Verworrenheit der Freiheitsbewegung in Deutschland, sondern vor allem die mangelnde Entschiedenheit des deutschen Bürgertums, mit den feudalabsolutistischen Überresten in Deutschland revolutionär Schluß zu machen.
Heine steht diesen Tendenzen von vornherein kritisch gegenüber. Er ist Rheinländer, er hat also den gesellschaftlichen Unterschied, den die Napoleonische Besetzung des Rheinlandes im Vergleich zu den anderen Teilen Deutschlands durchgemacht hat, persönlich erlebt und stets begeistert bejaht. Sein sehr früher Napoleonkultus (man denke an das Gedicht ›Die beiden Grenadiere‹) ist also keine Importware, kein Hereintragen französischer revolutionärer Ideologien nach Deutschland, sondern ist auf deutschem Boden erwachsen. Heine bekämpft jeden bornierten, reak-

tionären, antifranzösischen Nationalismus in Deutschland aufs Erbittertste. Er ist wirklich ein Vorläufer des deutsch-französischen Gedankens von Feuerbach[31] und vom jungen Marx. Aber er löst die romantische Nationallegende von innen auf. Er steht ihr nicht hundertprozentig fremd und feindlich gegenüber. Daß er diese Legende mit allem romantischen Zauber, die sie umgibt, zu schildern vermag, zeigt, wie tief er mit ihr gefühlsmäßig verknüpft ist, und die schneidende Ironie, mit der er sie immer wieder auflöst, zeigt eben jenes Nebeneinanderbestehen, jenes Ineinanderverwobensein dieser Widersprüche, das wir als grundlegenden Charakterzug bei Heine festgestellt haben. Seine Ironie ist stets zugleich eine Selbstironie.
Der dichterischen Auseinandersetzung mit der Barbarossa-Legende, mit dem romantischen Ideal der Erneuerung Deutschlands ist das Hauptstück, der dichterische Gipfelpunkt des Gedichts ›Deutschland‹ gewidmet. Heine geht hier bewußt vom Zauber der alten deutschen Ammenmärchen aus, um von ihnen zum schlafenden Barbarossa und seinem Heer überzugehen. Und er beschreibt die kommende Befreiung Deutschlands durch Barbarossa in einer rein romantisch-pathetischen Weise, in welcher gerade die volkstümliche Grundlage der Sehnsucht nach nationaler Einheit und Größe, der Haß des deutschen Volkes gegen seine Unterdrücker und Zerstückler zum Ausdruck kommt.

> Die gute Fahne ergreift er dann
> Und ruft: ›Zu Pferd! Zu Pferde!‹
> [...]
> Mein abergläubisches Herze jauchzt:
> ›Sonne, du klagende Flamme!‹ [XIV,97–120]

In der folgenden ausführlichen Beschreibung Barbarossas, seines Heeres und seines Arsenals tritt dann die die Legende auflösende Ironie immer stärker und entschiedener hervor. Sie erreicht ihren Gipfelpunkt in dem großen Gespräch mit

31 Ludwig Feuerbach (1804–72), materialistischer Religionsphilosoph.

dem Kaiser Barbarossa, in dem sich dieser über die neuesten Ereignisse in der Außenwelt informieren will und Heine ihm, sehr bezeichnenderweise, die französische Revolution und die Hinrichtung Ludwigs XVI. und Maria Antoinettes erzählt, worüber der gute Barbarossa verständlicherweise aufs höchste empört ist und den frechen Eindringling als Hochverräter und Majestätsverbrecher niederkanzelt. Darauf erwidert nun der Heine des Traumes:

> Als solchermaßen in Eifer geriet
> Der Alte und sonder Schranken
> [...]
> Bedenk' ich die Sache ganz genau,
> So brauchen wir gar keinen Kaiser.‹
> [XVI,77–96]

Aber im Vorwort zu ›Deutschland‹ verteidigt sich Heine ausdrücklich dagegen, die schwarzrotgoldene Fahne der bürgerlichen Erneuerung Deutschlands angegriffen zu haben. Seine Verspottung Barbarossas, der Burschenschaftsromantik, des reaktionären Nationalismus geschieht eben nur im Namen der demokratischen Revolution: es ist die revolutionär gemachte schwarzrotgoldne Fahne und nicht die rote Fahne der proletarischen Revolution, die er dem romantischen Gespenst entgegenstellt. [...]
Die Kampflinie der Barbarossa-Episode ist grundlegend für diese größte und typischste revolutionäre Dichtung Heines. Darum baut er hier strenger, wenn auch mit einer sehr freien, musikalischen Strenge, als in den meisten seiner Schriften. Die leichten souverän-ironischen Plänkeleien, die tödlich lächerlichen Durchleuchtungen der deutschen Verhältnisse wechseln mit pathetisch-energischen Angriffen auf die Zentralpunkte der deutschen Knechtschaft. Überall aber ist das durchgehende poetische Motiv die Aufnahme der romantischen Bezauberung des Alten, mit allem Mondscheinglanz und aller Nachtigallenschwermut, und die schneidend scharfe Aufdeckung seines realen Gehalts in der Knechtung

Deutschlands. So geht die poetische Reise von der Grenze über Köln, wo sich der Torso des Doms, der ›des Geistes Bastille‹ hatte sein sollen, erhebt, über den Teutoburger Wald, wo ›Die deutsche Nationalität, sie siegte in diesem Drecke‹, bis nach Hamburg, der Stadt von Heines Jugend. Hier erreicht, in der Episode mit der Hamburger Stadtgöttin Hamonia, die ironische Auflösung der Romantik ihren grausamsten Gipfelpunkt.«

Lukács: Heine und die ideologische Vorbereitung der achtundvierziger Revolution. In: Geist und Zeit (1956) H. 5. S. 35–38.
Abgedruckt mit Genehmigung des Luchterhand Verlages.

Am 17. Februar 1956, hundert Jahre nach Heines Tod führte der dänische Germanistikprofessor Louis L. Hammerich (geb. 1892) in einer Gedenkrede aus:

»Unter Heines politischer Lyrik finden sich glänzende Gedichte, die mit hohem ästhetischem Genuß gelesen werden können. ›Deutschland. Ein Wintermärchen‹ ist eine Dichtung, die ihresgleichen sucht; mit einem stimmungsreichen und wirkungsvollen Eingang; mit Partien, die einfach schön und rührend und sehr amüsant sind wie das große Triptychon von Barbarossa, oder stark in den Linien und voll tiefer Schatten wie das Bild von Köln und den Heiligen Drei Königen und dem unerbittlichen beilbewaffneten Henker, der ihm auf dem Fuß folgt und seine revolutionären Gedanken in Wirklichkeit umsetzt; es gibt Stellen darin, die von tollem Humor funkeln oder die satirisch tödlich ätzen. Und alles mit einer Beherrschung und Ausnutzung der deutschen Sprache geschrieben, die nur der Unkundige oder der Böswillige nicht zu bemerken vermag. [...]
Heine selbst bezeichnet ›Deutschland. Ein Wintermärchen‹ nicht nur als revolutionär, sondern auch als antinational. Schöne Klänge seiner echten Vaterlandsliebe sind bisweilen vernehmbar, meistens jedoch werden sie von anderen schrillen übertönt, die in einer beleidigenden, gehässigen, schmähsüchtigen Art antideutsch sind. Wir anderen mögen in der

Lage sein, über die groben Worte und Bilder zu lächeln oder zu lachen – einem Deutschen kann man das nicht zumuten (das hat auch der feinfühlige dänische Kritiker Emil Frederiksen in einem Aufsatz in ›Berlingske Tidende‹ zu Heines Todestag hervorgehoben). [...]
Am Schluß von ›Deutschland. Ein Wintermärchen‹ verdient die pittoreske Schilderung Hamburgs, das Großlinige der Vision, gewiß alle Anerkennung, aber hätten wir Dänen es uns gefallen lassen, die Zukunft Dänemarks als das vor Augen gestellt zu bekommen, was man riechen und wahrnehmen kann, wenn man den Kopf in die Öffnung eines Dreckkübels steckt?
Nein, so wahr ich hier stehe, und abermals Nein! Es ist sehr die Frage, ob Heine mit seinen politischen Gedichten der Sache der Freiheit – und der Juden – nicht eher geschadet als genutzt hat.«

Hammerich: Heinrich Heine als politischer Dichter. In: Orbis litterarum 11 (1956) S. 135f.

Die lange Jahre in der Bundesrepublik Deutschland dominierende Abneigung gegenüber dem »Wintermärchen« und Heines politischen Schriften überhaupt verdeutlicht exemplarisch folgende Darstellung:

»Umgekehrt vergißt man über dem Werke, das ein Gegenstück zum ›Sommernachtstraum‹ ›Atta Troll‹ werden sollte, über dem Epos ›Deutschland, ein Wintermärchen‹ (1844), daß man eine Dichtung vor sich hat, angesichts dieses ungehemmten und geschmacklosen Ausbruchs schmähsüchtiger Galle, fast krankhaften Hasses. Das, was er eben befochten hatte, ein Zeitgedicht, das aber den seit 1840 in Deutschland veränderten Verhältnissen schon nicht mehr zu folgen vermag, Tendenzpoesie also, sind diese gereimten Reisebilder von seiner Fahrt nach Deutschland von der Grenze bis nach Hamburg. Heine lebte in Paris zwischen zwei Feuern, den gemäßigten Demokraten und den radikalen Republikanern, die ihn mit besonderem Mißtrauen beobachteten und die er fürchtete. So macht er diesmal eine Verbeugung vor den

letzteren mit kommunistischen Rezepten zu schrankenlosem Lebensgenuß, während er zugleich, wie zu zeigen sein wird, nichts mehr fürchtete, als den Sieg des Proletariates. Haß gegen Deutschland überschlägt sich hier und verliert alle Selbstkontrolle, wenn am Schlusse eine betrunkene Dirne, die Hamburg vertritt, dem Dichter in einem Nachtstuhl die Zukunft Deutschlands schauen läßt. Das ›Wintermärchen‹ ist ein Pamphlet und keine Satire, wozu ihm die ethische Voraussetzung fehlt, das menschliche Maß ihres Schöpfers, da, wer die Geißel schwingt, über den Dingen stehen, Talent *und* Charakter haben muß. [...]
Ohne es eigentlich recht zu wollen, geriet Heine ins politische Fahrwasser. Da er sich in Paris als Märtyrer gebärdete, womit er die öffentliche Aufmerksamkeit in Atem hielt, blieb ihm nichts andres übrig, als mit den Wölfen zu heulen. Auch kannte er die Schärfe und Treffsicherheit seiner Waffe, seines mitleidslosen Spottes, seines ätzenden Hohns und so trieb es ihn immer wieder in die politische Arena, obwohl es ihm auf diesem Felde an Kenntnissen und Erfahrung fehlte. Der Befriedigung dieses kämpferischen Ehrgeizes dient sein umfangreiches schriftstellerisches und journalistisches Werk, das nun auch eine neue Entwicklungsphase der Prosa einleitet.«

Franz Koch: Idee und Wirklichkeit. Deutsche Dichtung zwischen Romantik und Naturalismus. Bd. 1. Düsseldorf: Ehlermann, 1956. S. 43f.

Der Schriftsteller Werner Neubert (geb. 1929), 1971 Träger des von der Regierung der DDR gestifteten Heinrich-Heine-Preises, schreibt in seinem Essay »Die Rezensionen des Heinrich Heine«:

»Die großartigste politisch-lyrische Rezension der deutschen Zustände nach dem Fürstenbetrug an der 1813 zugesagten Volksfreiheit ist sein Poem ›Deutschland. Ein Wintermärchen‹, geschrieben 1844 zu Paris. Der Marxismus, wenn diese für das Jahr 44 geschichtlich nicht ganz exakte Bezeichnung ausnahmsweise einmal gebraucht werden darf, liest das einzigartige Gedicht nicht nur gleich schon mit (Heine legt

Wert darauf, daß Marx die Korrekturfahnen bekommt), sondern schreibt auch schon ideell mit durch Ratschläge und Fingerzeige aus der politischen und ökonomischen Realität. Es ist sicherlich Heines beste Zeit, was die Öffnung nicht nur seines Herzens, sondern auch seines Verstandes und seiner Augen für die soziale Problematik der heraufziehenden neuen Epoche betrifft. Heines Talent und Heines Mut vereinen sich im ›Wintermärchen‹ zu einem fruchtbaren Bündnis, wenngleich er die erzwungene Dämpfung des Angriffs in Kauf nehmen muß [...].
Das war Dichterlos, wie es den besten Köpfen in der Dunkelmännerwelt des historischen Anachronismus immer wieder beschieden war, aber was dennoch herauskam, bedeutete eine Wende in der politischen Lyrik, ein Engagement und ein Kunstwerk ohnegleichen. Inmitten so vieler literarischer Verzagtheit und Verwirrung war es die schlagende Widerlegung, daß ›politisch Lied ein garstig Lied‹[32] sein muß, auch was Sprache und Form betrifft. Hier verschmolz ein unnachahmliches lyrisches Talent mit der unnachsichtigen politischen Rezension einer Sozietät, deren Morschheit mit der ihr gleichzeitig anhaftenden schreiend dummen Arroganz im Wettbewerb stand. Die preußisch-deutsche Zensur, der von Karl Marx gerade zwei Jahre vorher – 1842 – mit den ›Bemerkungen zur neuesten preußischen Zensurinstruktion‹ öffentlich eine der schönsten, weil treffsichersten Ohrfeigen verabreicht worden war, schoß denn auch, wie sie nur erste Kenntnis von Heines ›Wintermärchen‹ erlangt hatte, wie ein angeschossener Eber hin und her [...].«

Ich hab ein neues Schiff bestiegen ... Heine im Spiegel neuer Poesie und Prosa. Eine Anthologie. Hrsg. von Uwe Berger und Werner Neubert. Berlin/Weimar: Aufbau-Verlag, [1972]. S. 236f.

In der DDR gehört das »Wintermärchen« seit den fünfziger Jahren zur Schullektüre. Der an der Pädagogischen

32 Vgl. Goethes »Faust« (I, V. 2092f.): »Ein garstig Lied! Pfui! ein politisch Lied / Ein leidig Lied!«

Hochschule in Neuß lehrende Literaturdidaktiker Wilhelm Gössmann (geb. 1926) plädierte 1974 für die Aufnahme des Werks in den Lektürekanon der westdeutschen Schulen:

»Für die nächsten zehn oder fünfzehn Jahre könnte das ›Wintermärchen‹ im Literaturunterricht dieselbe Rolle einnehmen, wie lange Zeit hindurch Goethes ›Faust‹. Dies mag Widerspruch hervorrufen, aber gerade durch eine so überspitzt formulierte Prognose kann man die didaktische Bedeutung eines dichterischen Werkes verständlich machen.
Goethes ›Faust‹ wurde, wenn auch nur in Ausschnitten, in der höheren Schule besprochen, weil man in ihm die Gipfelhöhe deutscher Literatur erblickte, die der Deutschunterricht der Abschlußklasse erreichen sollte. Dies braucht nun keineswegs auf Heines ›Deutschland. Ein Wintermärchen‹ übertragen zu werden. Dennoch: Heinrich Heine und sein literarisches Werk sind in der Schule bisher zu kurz gekommen. Es ist aber nicht nur ›Wiedergutmachung‹ an einem mißverstandenen und verfemten Dichter, die angestrebt wird. Entscheidend ist, daß sich in diesem Werk [...] das Verhältnis von Literatur und Politik, von Literatur und geschichtlichem Deutschlandverständnis am besten erarbeiten läßt. Gegenüber Goethes ›Faust‹, der keineswegs als unpolitisch abgetan werden darf, ist das ›Wintermärchen‹ Heines: überschaubar, sprachlich und gedanklich relativ leicht erfaßbar und schon von Schülern verstehbar, die erst der 8., 9. oder 10. Klasse angehören. [...]
Man sollte bei der Behandlung des ›Wintermärchens‹ von ganz bestimmten Lernzielen ausgehen und die entsprechenden Kapitel herausstellen. Das wichtigste Thema ist Heines Deutschlandkritik, seine Kritik am damals sich entwickelnden preußisch bestimmten Nationalbewußtsein. Auf sein Verständnis der Liberalität müßte sehr genau eingegangen werden. Pauschal vorgebrachte Kritik wäre verhängnisvoll. Die Auseinandersetzung mit der mittelalterlichen Reichsvorstellung, dem altdeutschen Patriotismus, dem republikanischen Einheitsstreben, dem die politische Freiheit unterge-

ordnet ist, das preußische Staatsdenken, dies alles sind verschiedene Aspekte des einen Themas: Deutschlandkritik. [...]
Ein anderer Themenkreis wäre die Emanzipation, wozu die Kritik am Staatskirchentum und die Religionskritik allgemein gehören. Hinzu kommt die ethisch-moralische Befreiung vom Druck des Staates und der institutionellen Kirche. Dies ist vor allem im ersten Caput greifbar, das bei keiner Besprechung des ›Wintermärchens‹ fehlen sollte [...].«

Wilhelm Gössmann / Winfried Woesler. Politische Dichtung im Unterricht. Düsseldorf: Schwann, 1974. S. 116 und 119.

Der Literaturwissenschaftler Jost Hermand (geb. 1930) hat 1977 die Rezeptionsgeschichte von Heines »Wintermärchen« resümierend dargestellt:

»Heines ›Deutschland. Ein Wintermärchen‹ (1844) galt in den Augen aller ›wahren Teutschen‹ lange Zeit als sein übelstes, perfidestes Werk. Vor allem im 19. Jahrhundert sah man auf nationalistischer Seite im Autor dieser ›Schandverse‹ lediglich einen geborenen Miesmacher, vaterlandslosen Juden oder rücksichtslosen Nestbeschmutzer, der sich vor Deutschland geradezu ekle und der statt dessen einer charakterlosen Vorliebe für alles Französische, das heißt Oberflächliche, Frivole, Zynische und Libertinistische huldige. Solche Urteile wurden auf völkischer Seite von Leuten wie Adolf Bartels[33] & Co. bis weit in das 20. Jahrhundert hinein nachgebetet, ja nach 1933 zu wahren Haßgesängen gesteigert. Erst nach dem Zusammenbruch des Dritten Reiches hat diese Art der Heine-Kritik merklich nachgelassen – obwohl man auch heute bei Schallplattenaufnahmen oder Interpretationen des ›Wintermärchens‹ manche Partien lieber wegläßt,

33 Adolf Bartels (1862–1945), dessen Literaturbetrachtung auf dem Rassegedanken fußte, veröffentlichte 1906 als erste seiner zahlreichen Schmähschriften »Heinrich Heine. Auch ein Denkmal«; darin wird die Errichtung eines Heine-Denkmals als ärgste Beschimpfung des deutschen Volkes bezeichnet.

um keine nationalistischen, antisemitischen oder klerikalen Gegenreaktionen herauszufordern. Denn schließlich handelt es sich nun einmal bei diesem Werk – ob man es zugibt oder nicht – um eine der schärfsten Verurteilungen ›deutscher Zustände‹, die je geschrieben worden sind. Und das ist für manche noch immer nicht leicht zu schlucken.

Das Bild von Deutschland, das Heine in diesen ›versifizierten Reisebildern‹ von Deutschland entwirft, ist das eines wintrigen, erstarrten, verschlafenen und versklavten Landes, dessen 36 Potentaten jede Regung an Leben sofort mit einem Heer von Soldaten, Zollbeamten, amtlichen Schnüfflern und Zensoren zu ersticken versuchen. Als das Zentrum dieser tyrannischen Unterdrückungspolitik wird eindeutig Preußen hingestellt, das von Friedrich Wilhelm IV., einem romantisch-versponnenen und impotenten Reaktionär, beherrscht werde, der einen geradezu gespenstischen Dunstkreis aus ›gotischem Wahn und modernem Lug‹ um sich verbreite [...].

Daß ein solcher Sarkasmus vor allem die nationalistisch glühenden Kreise, die sich damals an dem eben erschienenen ›Lied der Deutschen‹ berauschten, bis zur Weißglut reizen mußte, ist klar. Schließlich waren es gerade diese Deutschtümler, die einen fanatischen Barbarossa-Kult trieben, 1842 in Scharen zur Kölner Dombaufeier geströmt waren, unentwegt Beckers ›Rheinlied‹ sangen, 1843 mit geschwollener Seele an der Tausendjahrfeier des Deutschen Reiches teilgenommen hatten und ihrem geliebten Hermann dem Cherusker im Teutoburger Wald ein weit ins Land hineinragendes Monumentaldenkmal setzen wollten. Die Latrinen dieser Leute sind daher jene ›Gruben‹, aus denen die von Heine erwähnten ›Miasmen‹ aufsteigen, die später als teutonische Reichsideologie der Bismarck-Ära und als Blut-und-Boden-Mystik der Nazis ganz Deutschland verpesteten.

Doch selbst heute, wo sich diese braune Flut wieder verlaufen hat, dominiert im Westen noch immer eine deutliche Abneigung gegen Heines ›Wintermärchen‹, da in diesem Werk nicht nur der deutsche Nationalismus, sondern die

Fehlentwicklung der deutschen Geschichte schlechthin angegriffen wird. Im Westen bleibt man deshalb weiterhin in einer gewissen Schmollhaltung befangen. Lediglich die Linken, die schon immer für eine stärkere ›Internationalität‹ eingetreten sind, halten hier das ›Wintermärchen‹ hoch. Dies gilt selbstverständlich auch für alle sozialistischen Länder, wo sich seit 1945 eine steigende Vorliebe für Heines ›Wintermärchen‹ beobachten läßt. [...]
In der BRD ist man dagegen dem ›Wintermärchen‹ erst einmal zwanzig Jahre aus dem Wege gegangen. Positive Stimmen, die sich für eine Einbeziehung dieses Werks in den Oberstufenunterricht einsetzen, hört man hier erst seit zwei oder drei Jahren. Und selbst diese Stimmen klingen recht zaghaft, wenn sie sich der politischen Bewertung des ›Wintermärchens‹ zuwenden und überlassen die ideologischen Konsequenzen lieber den Schülern selbst.[a] Die Mehrheit der Germanisten und Lehrer weicht darum diesem Werk weiterhin aus. So schreibt etwa Maria-Beate von Loeben 1970 [...], daß sich das ›Wintermärchen‹ wegen seiner Kompliziertheit als ›Schullesestoff‹ nicht besonders eigne und daher im Oberstufenunterricht lieber ausgelassen werden solle.[b] Wenn man sich im Westen überhaupt mit Heines satirischen Versepen beschäftigt, dann lieber mit dem unverständlichen, aber allerseits beliebten ›Atta Troll‹, weil man darin etwas ›Symbolisch-Ästhetisierendes und Unengagiert-Zweckloses, das heißt Anti-Linkes wittert‹[c].
Einmal ganz grob gesprochen, ist so an die Stelle des natio-

[a] Vgl. Wilhelm Gössmann, Winfried Woesler, Politische Dichtung im Unterricht. Deutschland. Ein Wintermärchen. Düsseldorf 1974, S. 7ff. – Rühmenswerte Ausnahmen bilden hier lediglich die Unterrichtsmodelle und Modellanalysen zum »Wintermärchen«, die Karl-Heinz Fingerhut bei Diesterweg, Frankfurt/M. 1976 herausgegeben hat. Hier findet man »Texte zum historischen Verständnis engagierter Poesie des deutschen Vormärz« und zugleich höchst konkrete Interpretationen dazu.

[b] Maria-Beate von Loeben, Deutschland. Ein Wintermärchen. Politischer Gehalt und poetische Leistung. In: Germanisch-romanische Monatsschrift 51, 1970, S. 265–85.

[c] Vgl. Jost Hermand, Streitobjekt Heine. Ein Forschungsbericht. 1945–1975. Frankfurt a. M. 1975, S. 90–91.

nalistischen Vorurteils heute weitgehend das antilinke Vorurteil getreten. Doch das geben selbstverständlich nur wenige öffentlich zu.«

Hermand: Heines ›Wintermärchen‹ – Zum Topos der ›deutschen Misere‹. In: Diskussion Deutsch 8 (1977) H. 35. S. 234–236.

3. Nachdichtungen

Die erste uns bekannte Nachahmung des »Wintermärchens«, eine ironisch-satirische Darstellung der anachronistischen Verhältnisse in der mecklenburgischen Residenz, erschien 1846 anonym unter dem Titel »Schwerin. Ein Sommermährchen«. In den Schlußstrophen bezieht sich der Verfasser – wahrscheinlich der Politiker und Schriftsteller Ludwig Reinhard (1805–77) – ausdrücklich auf sein Vorbild:

Aristophanes, den Jeder nennt
Den Liebling der Camönen,
Der hat den Heinrich Heine erzeugt
Mit einer Hamburger Schönen.

Ich aber stamme von Heine ab; –
Der liberale Sünder
Hat außer mir in die Welt gesetzt
Viel illegitime Kinder.

Nur liberal und heinisch dabei
Sind diese Strophen gesungen; –
Und wie sie Anno Dreißig sang'n,
So zwitschern jetzt die jungen.

Mecklenburgisches Volksbuch für das Jahr 1846. Hrsg. von Wilhelm Raabe. Hamburg: Hoffmann und Campe, 1846. S. 55.

1872 erschien, gleichfalls anonym, »Ein neues Wintermärchen. Besuch im neuen deutschen Reich der Gottesfurcht und der frommen Sitte von Heinrich Heine«. Der nicht näher bekannte Verfasser, Otto Hörth, fingiert eine Reise Heines durch Deutschland unmittelbar nach der Reichsgründung (1871). Einen Eindruck von den Zielrichtungen der Satire und der Aggressivität der Auseinandersetzung mit dem neuen »Alt-Deutschland« gibt der folgende Auszug. In Kap. 10 greift Hörth mit der Form der Traumvision und dem Hochzeitsmotiv Elemente der Heineschen Darstellung auf.

10.

Das war ein sonderbarer Traum,
Wie ich geträumt noch keinen:
Ich sah auf der Haide am Waldessaum
Ein Mädchen stehen und weinen.

Drei Männer, vom Scheitel zur Sohle gehüllt
In starrende Wehr und Waffen,
Die machten sich mit dem Frauenbild
Gar emsiglich zu schaffen.

Der Eine zog ihr ein Panzerkleid
Mit Kugeln garnirt um die Lenden,
Und machte ein schweres Eisengeschmeid'
Ihr fest an Hals und Händen.

Der Andre warf darüber sogleich
Den Mantel den großen und schweren,
Von Außen an Gold und an Purpur reich,
Doch innen voll Stacheln und Speeren.

Der Dritte stülpte auf's Haupt ihr sodann
Die preußische Pickelhaube,
Und hing ihr ein Reifwerk von Zipfeln daran,
Von Schellen und blühendem Laube.

Erst schrie das Mädchen und sträubte sich sehr
Bei Panzer- und Kugelgarnirung,
Doch ward sie ruhig und weinte nicht mehr
Bei Gold- und Purpurverzierung.

Und als sie die Pickelhaube trug
Mit Zipfeln und Schellen und Bändchen,
Da lachte sie hell und jauchzte und schlug
Laut klatschend in ihre Händchen.

Drauf nahm der Dritte das Mädchen beim Arm
Und führte sie weg von der Haide,
Rings häufte sich Volk in großem Schwarm
Und gab dem Paar das Geleite.

Und lang und länger wurde der Zug,
Und wuchs mit riesiger Schnelle,
Ein gläserner Wagen kam und trug
Das Paar zu der nahen Kapelle.

Dort stand ein Pfaffe in schwarzem Talar,
Mit Pickelhaube und Degen;
Mir schien's, er gab zusammen das Paar
Und sprach einen langen Segen.

Drauf stiegen die zwei zum Altar empor,
Rings sah ich die Andren knieen,
Und hörte, wie sie noch lange im Chor
»Erbarme dich unser!« schrieen.

Das ist das Traumbild, das ich sah,
Ich schwör' es mit heiligem Schwure;
Das Mädchen hieß einst Germania,
Jetzt ist sie – preußische Hure.

Das ist der Traum, der mir erschien,
Als ich in die Ecke mich schmiegte
Und nach der Kaiserstadt Berlin
In rasselndem Zuge mich wiegte.

11.

»Berlin«, rief endlich der Schaffner aus;
Das waren mir goldene Worte;

Ich wickelte langsam mich heraus
Und schritt durch die offene Pforte.

Ich bog die Friedrichsstraße hinauf
Und drängte mich durch das Gewimmel,
Das war von Menschen in summendem Hauf
Von Wagen und Vieh ein Getümmel!

Ich drückte mich links an die Häuser hinan
In eines Thorwegs Nische;
Drin sang und drehte ein Orgelmann
Sein Zeug in schrillem Gemische.

Er streckte sein hölzernes Bein daher
Halb über des Thorwegs Breite;
Ein Ärmel hing und baumelte leer
Herab von seiner Seite.

Er trug ein blankes Kupferstück
An der Brust mit farbigem Bande;
Hohl waren die Wangen, erloschen der Blick
Und abgeschabt die Gewande.

Er spielte und sang mit krächzendem Ton
Vom frischen fröhlichen Kriege,
Vom Heldenkaiser, vom Heldensohn,
Von der Feldschlacht und vom Siege;

Er sang vom frechen französischen Hahn,
Vom Adlerhorst auf der Eiche,
Von der herrlichen deutschen Siegesbahn
Und vom germanischen Reiche.

Du armer Mann, dich haben sie auch
Geschleppt zum Völkerkriege,
Und haben dich dann, so wie es der Brauch,
Entlassen nach dem Siege!

Du ließest für sie an Fuß und Arm
Zum hülflosen Krüppel dich schießen,

Bis sie hinaus in Noth und Harm
Dich auf die Straße stießen!

Du hast mit deinem Gut und Blut
Milliarden ihnen erworben,
Und zu Hause sind mit gebrochenem Muth
Dir Weib und Kind verdorben.

Und als du deine Pflicht gethan
Mit Sengen und Brennen und Morden,
Und als du ein armer, elender Mann,
So elend wie Keiner geworden,

Da nähten sie dir ein Kupferstück
An die Brust mit farbigem Bande,
Und jagten dich von der Schwelle zurück
Als Bettler hinaus in die Lande!

Du armer Mann, du ärmster der Welt,
Wie bist du zu beklagen!
Wohlan, ich will Dir all mein Geld
Auf deinen Teller tragen!

So sprach ich zu mir, von Mitleid weich,
Und durchsuchte die Taschen alle;
Doch hielt ich zurück und besann mich sogleich
Und es stieg mir plötzlich die Galle.

Du deutscher Michel, warst du so dumm,
Und ließest zum Krüppel dich schlagen,
So bettle die Füße dir lahm und krumm,
Du hast dich nicht zu beklagen!

Wenn du so dumm warst und stelltest dich auf
Und opfertest Blut und Leben,
Und ließest dir dann auf den Hintern hinauf
Einen gnädigen Fußtritt geben,

Und bist noch stolz auf die Schmach des Tritt's
Und durchplärrst das Land mit Gesängen
Vom Heldenkaiser, vom Heldenfritz,
Von Schlachtlust und Siegesklängen, –

So lass' ich getrost den Beutel zu,
Und will dich nicht weiter verletzen,
Sonst würd' ich dir sicher in aller Ruh'
Auch meinen Fußtritt versetzen!

Ein neues Wintermärchen. Boston 1872. Expedition des »Pionier«. S. 18–22.

In der von ihm selbst redigierten humoristisch-satirischen Wochenschrift »Jugend« veröffentlichte am 9./16. Dezember 1899 der Journalist und Schriftsteller Fritz von Ostini (1861–1927) »Ein neues Wintermärchen. Von Heinrich Heine«, aus dem die folgenden Verse stammen:

Kaput I

Gestehen muß ich: Die Sehnsucht allein
Trieb nicht mich auf die Reise,
Ein Bischen Dichtereitelkeit
Sprach mit, wenn auch nur leise!

Ich wollte seh'n, wie lang mein Ruhm
Mein Leben überdauert,
Ich wollte seh'n, wo mir mein Volk
Ein Denkmal aufgemauert;

Und wie sie heute sprächen von mir,
Getaufte und Ungetaufte
Und ob man bei Hoffmann und Kampe recht oft
Meine sämmtlichen Werke kaufte!

So flog ich nach meiner Geburtsstadt zuerst,
Nach Düsseldorf am Rheine,
Und fragte dort incognito:
»Wo steht das Denkmal für Heine?«

Sie sagten: »Ein Denkmal für Heine, der
So viel Frivoles gedichtet,
Das bot man wohl aus, wie saueres Bier –
Wir haben darauf verzichtet!

Der Heine, Sie wissen ja, der war
Ein Spötter, ein ganz vertrackter,
Talentvoll gewiß – er war ja von hier! –
Doch hatte er keinen Charakter!

Nie schimpfte auf's deutsche Vaterland
Ein Mensch in gröberem Stil je
Und außerdem war er noch dazu
Von jüdischer Familie –

Doch gibt's des Sehenswerthen noch viel –«
Er zählte es auf, wie am Schnürchen:
Denkmäler für Schadow, Cornelius
Und fünfundzwanzig Kirchen –

Ich schüttelte aber sofort den Staub
Des Kunstnest's an der Düssel
Von meinen Schuh'n; – ich muß gestehn,
Es kränkte mich doch ein Bissel!

Doch bald wich dem Humor der Groll:
In dieser Stadt der Frommen,
Hätte mein Denkmal ja sicherlich
Vor Ärger Grünspan bekommen!

Kaput III

[...]

Nun fragte ich schlau: »Ich hörte einmal
Ein Lied von der Fei am Rheine,
Vor alter Zeit – der Dichter des Lied's
Hieß Heymann – oder Heine.«

Da lachte der Mann: »Die Lorelei!
Das schönste Lied, das wir haben!

Und kennen Sie's nicht, so lassen Sie
Sich lieber gleich begraben!«

Dann hub er an mit gewaltigem Baß
Des Liedes traute Weise,
Ein Zweiter fiel und ein Dritter ein –
Ein Fräulein sang süß und leise. –

Und schließlich wurde mein altes Lied
Gesungen von hundert Leuten
Und übertönte das Wogengebraus:
»Ich weiß nicht, was soll es bedeuten!«

In meinem Herzen quoll es heiß –
Dann hab' ich, tief ergriffen,
Getrost auf ein Denkmal in Düsseldorf
Und Frankfurt am Maine gepfiffen.

Jg. 4 (1899) Nr. 50. S. 817.

Den Anfang einer weiteren »Wintermärchen«-Kontrafaktur veröffentlichte von Ostini 1904, ebenfalls in der »Jugend« (Jg. 9, Nr. 1, S. 2f.).
In »Deutschland. Ein Wintermärchen nach Heinrich Heine. Geschrieben im Jahre 2 der deutschen Republik von Maximilian Neander« findet sich eine Aktualisierung von Heines Caput V:

Im Glanz der Morgensonne lag
Die Kuppel des Kölner Domes,
Und in der Stille vernahm mein Ohr
Das leise Rauschen des Stromes.

Hinab aus dem ratternden Wagen schwang
Ich rasch die gerüttelten Glieder,
Entfloh zu Fuß an den grünen Strom
Und ließ mich am Ufer nieder.

O Vater Rhein, meinen ersten Gruß,
Den wärmsten, sollst du empfangen!

Wie geht es dir? – und dem deutschen Volk?
Wie ist's euch bisher ergangen?

Läßt Deutschland seine Dichter, wie einst
Sich mästen am blauen Äther,
Und säugt es noch immer an seiner Brust
Ein Dutzend Landesväter?

So sprach ich, da hört' ich im Wasser tief
Gar seltsam grämliche Töne,
Wie Hüsteln eines alten Manns,
Ein Brümmeln und weiches Gestöhne:

»Halt' ein, mein Junge, du fragst zu viel!
Wenn ich dir alles berichte,
Entroll' ich dir den größten Teil
Der neueren Weltgeschichte.

Die dummen Dichter hungern noch,
Die klugen nähren sich weidlich
Vom Abfall aus den Töpfen des Films – –
Mir selbst geht's auch so leidlich.

Die Sonne pflegt in alter Lust
Mit meinen Bergen zu kosen,
Aus ihren Küssen erglüht der Wein
Für Briten und Franzosen.[34]

Franzosen und Briten haben den Wein,
Die Deutschen aber den Kater ...
Und Landesväter gibt's nicht mehr,
Nur noch einen Landesvater.

Und Deutschland ist eine Republik
Und hat einen Präsidenten;

34 Anspielung auf die Besetzung des linken Rheinufers mit den drei Brückenköpfen Köln, Koblenz und Mainz aufgrund des Versailler Vertrages (1919).

Und Vater Ebert[35] dichtet nicht
Und macht nicht in Monumenten.

Er stellt kein Standbild dem Großpapa,
Wie weiland Wilhelm der Letzte[36],
Der alle schönen Plätze daheim
Mit alten Wilhelms besetzte.

Doch keines Meisters Meißel wird
Ihn selbst in Marmor hauen,
Als lebendes Denkmal des Volksgerichts
Ist er in Holland zu schauen.

Gen Holland floh Seine Majestät
Im Automobil, im schnellen,
Und überließ das Vaterland
Den vaterlandslosen Gesellen[37].

Dem deutschen Bürger aber rinnt
Ein Tränlein über die Wange;
Gedenkt er des kaiserlichen Herrn,
So wird ihm weh und bange.

Er jammert um die alte Zeit,
Den Spuk von Gottes Gnaden,
Er jammert um die schimmernde Wehr
Und um die Frühjahrsparaden;

Und um den gleißenden Firlefanz
Und um die Sterne und Orden
Und um den Fußtritt, der hie und da
Ihm war verliehen worden.

35 Der Sozialdemokrat Friedrich Ebert (1871–1925) war von 1919 bis 1925 Reichspräsident.
36 Wilhelm II., Deutscher Kaiser und König von Preußen (1888–1918); ging nach Ausbruch der Revolution nach Holland ins Exil (Nov. 1918) und verzichtete auf den Thron.
37 Als solche pflegte Wilhelm II. die deutschen Sozialdemokraten zu bezeichnen.

Treu betet der Bürger, daß der Tag
Des Herrn sich ihm erneue ...
Des Hundes winselnde Demut nennt
Der Mensch bekanntlich Treue.«

Berlin: Hoffmann, 1920. S. 6–8.

Der Schriftsteller Johannes R. Becher (1891–1958), nach 1945 Präsident des »Kulturbundes zur demokratischen Erneuerung Deutschlands« und 1954 Minister für Kultur in der DDR, schrieb 1934 im Moskauer Exil seine »Wintermärchen«-Kontrafaktur »Deutschland. Ein Lied vom Köpferollen und von den ›nützlichen Gliedern‹«, in der er mit dem faschistischen Deutschland abrechnet. Äußerer Entstehungsanlaß der Dichtung war eine Reise nach Prag, Zürich und Paris, die Becher im Sommer 1933 von Moskau aus unternahm, um die Situation emigrierter deutscher Schriftsteller zu studieren. Im Gegensatz zu Heine reiste er um das Land herum, dessen Zustand vor und nach der nationalsozialistischen Machtergreifung in 30 Kapiteln geschildert wird. In Kap. XVIII fingiert Becher eine Begegnung mit Heine: »Dem Dichter, der mit spitzen / Reimen verstand den Philisterbauch / Zu ritzen und aufzuschlitzen«, und setzt sich deutend mit seinem Vorbild auseinander. In Anspielung auf die vor allem in den frühen vierziger Jahren entstandenen ›Zeitgedichte‹ Heines heißt es:

Du warst bekannt mit Karl Marx und gabst
Bestimmt grad darin dein Bestes,
Wo dein Gedicht zu donnern beginnt
Wie die Sätze des Manifestes.

Gemeint ist das 1847/48 gemeinsam von Marx und Friedrich Engels verfaßte »Manifest der Kommunistischen Partei«, dessen Schlußsatz lautet: »Proletarier aller Länder, vereinigt Euch!« Auf Heines »neues Lied« (Caput I), in dem G. W. Plechanow (1857–1918), einer der Begründer und Führer der russischen Sozialdemokratie, den »Leitgedanken der modernen Arbeiterbewegung« ausgesprochen sah und das August Bebel (1840–1913) im Deutschen Reichstag zitierte, bezieht sich wohl in erster Linie die folgende Aussage Bechers:

Und als ich das »Wintermärchen« las,
Da ist es mir oft gewesen,
Als hörte ich – gedichtet zwar –
Manche Stelle der Feuerbach-Thesen.

Die »Thesen über Feuerbach«, das Grunddokument seiner Jugendphilosophie, hat Marx 1846 in Brüssel geschrieben. Berühmtheit erlangte insbesondere die 11. These: »Die Philosophen haben die Welt nur verschieden *interpretiert*; es kömmt darauf an, sie zu *verändern.*«
Im selben Kapitel charakterisiert Becher seine Dichtung ausdrücklich als »Wintermärchen«-Adaption und widmet Heine sein Buch, dessen Erstdruck 1934 in Moskau erschien.[38]

Auch der »Liedermacher« Wolf Biermann (geb. 1936) schrieb eine satirische Versdichtung in der Nachfolge des von ihm als »Cousin« bezeichneten »frechen Heinrich Heine«. Biermann, 1953 in die DDR übergesiedelt, wurde nach Konflikten mit der offiziellen Kulturpolitik der DDR und langjährigem Auftritts- und Veröffentlichungsverbot im November 1976 ausgebürgert und lebt seitdem in der Bundesrepublik Deutschland.
In einem Brief äußert er sich zum Entstehungsanlaß seiner Nachdichtung und verweist auf Parallelen seiner Situation mit der Heines:

»Die Ähnlichkeiten mit der Wintermärchensituation des Meisters Heine fielen mir nach meiner Westreise im Dezember 64 wie Schuppen von den Augen – genauer gesagt im

38 Zitate hier nach: Becher, »Gesammelte Werke«, Bd. 7, Berlin/Weimar 1967, S. 225 und 227. Auf den geplanten Abdruck der insgesamt 14 Strophen, in denen sich Becher mit Heine auseinandersetzt, mußte leider verzichtet werden, da der Rechteinhaber die Genehmigung versagte.

Januar 65, als ich mit Ernst und Lou Fischer ein paar gute Wochen zusammen in Dobřiš war. Dobřiš ist das berühmt berüchtigte Schloß, eine Stunde von Prag, in dem die ČSSR-Schriftsteller hausen. Dort schrieb ich das erste Kapitel meines Wintermärchens. Es gab da etliche Parallelen: auch ich war nach Hamburg gefahren, auch ich zur obligaten Mutter, Jude auch ich (halber Jude auch Heine: er war ja konvertiert – und ich halber Jude nach dem faschistischen Blutmaß). Und es gab gewichtigere und bedenkliche Ähnlichkeiten: auch ich fuhr zu Besuch in ein deutsches Land, vor dessen Reaktionären ich geflohen war, und auch ich kam aus einem vergleichsweise fortschrittlichen Land angereist und wurde an der Grenze entsprechend von den Spürhunden visitiert – – – natürlich war diese wohlfeile Parallelität der Umstände nur Gelegenheit für ein Gedicht über deutsche Zustände, mit den damaligen des Heinrich Heine vergleichbar nur in dem Sinn, daß man nur Dinge vergleichen kann, die nicht identisch sind.«

Zitiert nach: Geständnisse. Heine im Bewußtsein heutiger Autoren. Hrsg. von Wilhelm Gössmann. Düsseldorf: Droste-Verlag, 1972. S. 244.

In Kapitel IV schildert der Ich-Erzähler, der sich bei der Paßkontrolle als »Biermann Karl-Wolf« ausweist, die Beschwernisse einer Reise von Deutschland nach Deutschland und charakterisiert – sich selbstbewußt vom »Cousin« Heine abgrenzend – im Gespräch mit einer westdeutschen Reisebekanntschaft seine Profession:

Die Paßkontrolle zog sich hin
Der Zug war festgewachsen
Ich saß und saß und saß und saß
Auf Kohlen statt auf Achsen

Und meine Schöne visavis
Mit großen Kinderaugen
An ihren Lippen fing sie an
Zu beißen und zu saugen

Halb ängstlich, halb mokant sah sie
Auf unsre Grenzsoldaten
Das war Anschauungsunterricht
Thema: Zwei deutsche Staaten

Die Kleine hielt den Westpaß hin
Fast wie ein Kruzifix
Wer Jesus schwenkt und Marx nicht kennt
Dem tut der Teufel nix

Doch nützte ihr das Westpapier
Nicht viel; ihr scharfer Busen
– Die Grenzer schielten schräg und frech
Und tief ihr in die Blusen

Die strammen Jungs aus Mecklenburg
Da kamen sie ins Schlottern
Sie fingerten am Koppelschloß
Und fingen an zu stottern

Das rührte mich, ich geb es zu
Es hat mich fast ergriffen:
Die haben auf die Dienstvorschrift
Ganz ungeniert gepfiffen

Ein Deutscher, der in Uniform
Auf Sex starrt, statt auf Stempel
Ist schon ein Fortschritt, sag ich euch
Ein menschliches Exempel

Bis Büchen[39] warn es insgesamt
Acht Paß- und Zollkontrolln
Es war, als ob wir achtmal doch
Noch schnell entlarvt wer'n solln

Die alten Frauen warn aufgekratzt
– Es dauerte zu lange –

39 Gemeinde im Kreis Herzogtum Lauenburg (Schleswig-Holstein), Grenzkontrollstelle der Bundesrepublik Deutschland.

Aufsässig saßen sie und schrien
Wie Hühner auf der Stange

Die alten Männer griffen acht
Mal neu in alle Taschen
Und zogen den Passierscheinfisch
Angstschweißnaß aus den Maschen

Und achtmal brüllte ein Soldat
Glashart freundlich trocken:
Wir wünschen gute Weiterfahrt!!
– Die Rentner hats erschrocken

Die Rentner hat es aufgeregt
Sie konntens nicht erwarten
Es drängte sie ganz offenbar
In Gottes Super-Garten

Und endlich kroch der Rentnerzug
Heraus aus Griebnitzsee[40]
Und schob sich in die DDR
Durch Nebel und durch Schnee

Der Zug kroch quer durch Brandenburg
Durch manchen toten Bahnsteig
Da öffneten die Blüten sich
An meinem schönen Pflaumzweig

Sie wurd gesprächig, fragte mich
Ob ich von Osten käme
Ob ich schon Rentner sei, ob ich
Auch Rückfahrkarten nähme ...

»Ich bin ein ganz besondrer Fall
Von einem deutschen Rentner
Nachts schläft er von der Arbeit aus
Am Tage aber pennt er

40 Grenzübergangsstelle der DDR (bei Potsdam).

In dem Gitarrenkasten da
Steckt ein Maschingewehr
Damit misch ich mich manchmal ein
In euren Geldverkehr

Ich bin ein Liedermacher, ein
Verrückter Rattenfänger
Ich bin kein deutsches Lyrikschaf
Kein Stürmer auch und Dränger

Der Hund geht anders los! Ich misch
Mich in die Politik
Wenn man auf solchem Pflaster rutscht
Bricht man sich das Genick

Dem Dichter Heine folgte stets
Ein Mann mit einem Beile[41]
Er war die Tat von Heines Geist
Und teilte aus die Keile

Ich teil die Keile selber aus
Mit dem Maschingewehr
(Die Arbeitsteilung: Kopf und Hand
Genügt uns heut nicht mehr)«

Ich sagte ihr wies ist mit mir
Die Wahrheit unverhohlen
Sie schaute mich ungläubig an:
»Sie wolln ein' wohl verkohlen?!«

»Nein, doch! Ich knall auch Menschen ab
In Hamburg läuft ein Mann rum
Der brachte meinen Vater fast
Mit einer Kette um

Mein armer Vater, schönes Kind
Hing im Gestapo-Keller

41 Vgl. Cap. VI und VII.

Neun Monate in Ketten fest
Wie ein bemalter Teller

Wie ein bemalter Teller, den
Manch einer sich zur Zier
An seine Wand hängt, so hing da
Mein Vater bei dem Tier

Mein Vater hing bei diesem Herrn
An einem Schlachterhaken
Prolet Prophet Prometeus mit
Dem ungebrochnen Nacken

Der deutsche Mann von damals lebt
Jetzt still als Fleischinspektor
Im Schlachthof von Peymann & Co
Und singt im Männerchor

Er liefert Rind- und Schweinefleisch
Das hat sich gut getroffen
In Zinksärgen wie man sie hat
Beim Schlachter: oben offen

Doch meiner Mutter schickte er
Pro Monat, ach das tat er
Ein dreck- und blutverschmiertes Hemd
Frei Haus von meinem Vater

Und meine Mutter wusch das Hemd
Mit Seife und mit Tränen
Und wartete auf ihren Mann
Mit Zittern und mit Sehnen

Sie wartete acht Jahre, bis
Mein Vater mit den Wolken
Von Auschwitz[42] wieder heimwärts schwamm
Nach Hamburg ... in den Wolken

42 Stadt in Polen, in der sich während des Zweiten Weltkrieges ein Konzentrationslager der Nationalsozialisten befand; Biermanns Vater, ein Jude, wurde dort ermordet.

Sie sehn, ich habe allerhand
In Hamburg zu besorgen
Der Herr wohnt Große Bleichen acht
Ich hoff, ich treff ihn morgen

Zuerst fahr ich nach Langenhorn[43]
Die Mutter kurz besuchen
Sie schrieb mir: ›Komm, ich backe dir
Den schönsten Kirschenkuchen‹ «

Biermann: Deutschland. Ein Wintermärchen. In: W. B.: Nachlaß 1. Köln: Kiepenheuer & Witsch, 1977. S. 96–100.

Auszüge aus den »Wintermärchen«-Nachdichtungen anderer Autoren sind abgedruckt in: Der gefälschte Don Quijote. Literarische Missetaten aus drei Jahrhunderten. Hrsg. von Bruno Kaiser. Berlin 1957.

43 nördlicher Stadtteil Hamburgs.

V. Texte zur Diskussion

Zu Caput I (»Entsagungslied« – »neues Lied«)

Heine in seiner 1835 erschienenen Schrift »Zur Geschichte der Religion und Philosophie in Deutschland«:

»Es ist eine irrige Meinung, daß diese Religion, der Pantheismus, die Menschen zum Indifferentismus führe. Im Gegenteil, das Bewußtsein seiner Göttlichkeit wird den Menschen auch zur Kundgebung derselben begeistern, und jetzt erst werden die wahren Großtaten des wahren Heroentums diese Erde verherrlichen.
Die politische Revolution, die sich auf die Prinzipien des französischen Materialismus stützt, wird in den Pantheisten keine Gegner finden, sondern Gehülfen, aber Gehülfen, die ihre Überzeugungen aus einer tieferen Quelle, aus einer religiösen Synthese, geschöpft haben. Wir befördern das Wohlsein der Materie, das materielle Glück der Völker, nicht weil wir gleich den Materialisten den Geist mißachten, sondern weil wir wissen, daß die Göttlichkeit des Menschen sich auch in seiner leiblichen Erscheinung kund gibt, und das Elend den Leib, das Bild Gottes, zerstört oder aviliert[1], und der Geist dadurch ebenfalls zu Grunde geht. Das große Wort der Revolution, das Saint-Just[2] ausgesprochen: le pain est le droit du peuple[3], lautet bei uns: le pain est le droit divin de l'homme[4]. Wir kämpfen nicht für die Menschenrechte des Volks, sondern für die Gottesrechte des Menschen. Hierin, und in noch manchen andern Dingen, unterscheiden wir uns von den Männern der Revolution. Wir wollen keine Sansculotten sein, keine frugale[5] Bürger, keine wohlfeile Präsidenten: wir stiften eine Demokratie gleichherrlicher, gleichheili-

1 (frz.) herabwürdigt, schändet.
2 Louis Antoine de Saint-Just (1767–94), der mit Robespierre gestürzte und hingerichtete Revolutionär.
3 Brot ist das Recht des Volkes.
4 Brot ist das göttliche Recht des Menschen.
5 (lat.) mäßige, einfache.

ger, gleichbeseligter Götter. Ihr verlangt einfache Trachten, enthaltsame Sitten und ungewürzte Genüsse; wir hingegen verlangen Nektar und Ambrosia, Purpurmäntel, kostbare Wohlgerüche, Wollust und Pracht, lachenden Nymphentanz, Musik und Komödien – Seid deshalb nicht ungehalten, Ihr tugendhaften Republikaner! Auf Eure zensorische Vorwürfe entgegnen wir Euch, was schon ein Narr des Shakespeare sagte: meinst du, weil du tugendhaft bist, solle es auf dieser Erde keine angenehmen Torten und keinen süßen Sekt mehr geben?[6]«

HSS III,570.

Heine in den 1844 entstandenen, Fragment gebliebenen ›Briefen über Deutschland‹:

»Mit dem Umsturz der alten Glaubensdoktrinen ist auch die ältere Moral entwurzelt. Die Deutschen werden doch noch lange an letztere halten. Es geht ihnen wie gewissen Damen, die bis zum vierzigsten Jahre tugendhaft waren, und es nachher nicht mehr der Mühe wert hielten das schöne Laster zu üben, wenn auch ihre Grundsätze laxer geworden. Die Vernichtung des Glaubens an den Himmel hat nicht bloß eine moralische, sondern auch eine politische Wichtigkeit: die Massen tragen nicht mehr mit christlicher Geduld ihr irdisches Elend, und lechzen nach Glückseligkeit auf Erden. Der Kommunismus ist eine natürliche Folge dieser veränderten Weltanschauung, und er verbreitet sich über ganz Deutschland. Es ist eine ebenso natürliche Erscheinung, daß die Proletarier in ihrem Ankampf gegen das Bestehende die fortgeschrittensten Geister, die Philosophen der großen Schule, als Führer besitzen; diese gehen über von der Doktrin zur Tat, dem letzten Zweck alles Denkens, und formulieren das Programm. Wie lautet es? Ich hab es längst geträumt und ausgesprochen in den Worten: ›Wir wollen keine Sanskülotten [...] Musik und Komödien‹ [s. voriges Zitat]. Diese Worte stehen in meinem Buche ›De l'Allemagne‹, wo ich bestimmt

6 Diese Worte, von Heine hier nicht wörtlich zitiert, spricht nicht der Narr, sondern Junker Tobias in Shakespeares »Was ihr wollt« (II,3).

vorausgesagt habe, daß die politische Revolution der Deutschen aus jener Philosophie hervorgehen wird, deren Systeme man so oft als eitel Scholastik verschrien. Ich hatte leicht prophezeien! Ich hatte ja gesehen wie die Drachenzähne gesät wurden, aus welchen heute die geharnischten Männer empor wachsen, die mit ihrem Waffengetümmel die Welt erfüllen, aber auch leider sich untereinander würgen werden!«

HSS V,197f.

Zu Caput IV (Kölner Dom)

Im Frühjahr 1842 übersandte der politische Publizist Jakob Venedey (1805–71) Heine eine für den Ausbau des Doms werbende Schrift, aus der die folgenden Passagen stammen:

»Am *Rhein* regte sich zuerst wieder der Geist eines eignen deutschen Volkes, weil grade der Rhein vom Feinde bedroht wurde. Noch immer ist es möglich, daß diese Drohung sich dereinst wiederhole; noch immer ist es möglich, daß man dereinst versuche, sie zu verwirklichen. Deßwegen laßt uns an den Rhein einen *Grenzwachtthurm* hinbauen, wie kein Volk und keine Zeit einen ähnlichen gehabt haben; deßwegen laßt uns an den Rhein *den Reichsbannerträger* Deutschlands aufstellen, daß er hoch über die Berge hinwegschaue, und die deutsche Fahne zum Trotze aller Feinde, zum Troste aller Freunde Deutschlands in die Wolken hineinschwinge. Der *Rhein* ist die Wiege Deutschlands, aber Deutschland ist zum Manne herangewachsen, und deßwegen stehe an seiner Wiege ein Zeichen seiner Kraft und seines Willens.
Der Dom zu Cöln sei der Grenzwachtthurm Deutschlands, und so oft der Feind droht, rufe seine Sturmglocke die Männer deutscher Art zusammen. Er sei Deutschlands Reichsbannerträger, und so oft und so lange innere Zwietracht an dem Marke deutscher Kraft nagt, erinnere die deutsche Fahne, die des Domes Spitze ziert, daß dies Riesenwerk eine Ruine blieb, weil der Geist der Zwietracht Deutschlands Kraft zersplittert hatte, daß ein Wunder der Ruine neues Leben gab, sie verjüngte und bis zu den Wolken erhob, und

daß *dies Wunder der Gedanke der Einheit, das wiedererwachte Bewußtsein des deutschen Gemeinsinnes, die Hoffnung auf ein einiges, gesammtes und geordnetes deutsches Vaterland war.* [...]
Auf denn, an's Werk!
Baut ihn fertig den Tempel der Versöhnung, den Altar einer schönen Zukunft.
Und droht dann dereinst wieder von Außen der Sturm gegen Deutschland, dann halle die Glocke des deutschen *Wachtthurmes* in allen Gauen wieder, dann entfalte sich das Banner Deutschlands in seiner Wolkenhöhe, *Allen Deutschen ein Zeichen der Vereinigung.*
Und droht im Innern ein anderer Sturm, senkt sich die Macht des Parteikampfes auf Deutschland herab; dann zündet auf dem *Leuchtthurme deutscher Eintracht, deutscher Einheit* ein Feuer an, das die gegen den Sturm Ankämpfenden erinnert, wie sie die Söhne derselben Mutter sind, – das ihnen im höchsten Kampfe gegen die Wogen des wilden Meeres der Parteileidenschaft das Wort der Rettung zuruft: *Land, Vaterland!*
Der Dom zu Cöln, er sei Deutschlands *Wachtthurm* nach Außen, Deutschlands *Leuchtthurm* nach Innen. Er sei ein Sühnopfer der Gegenwart an die Vergangenheit, ein Übergang aus der Vergangenheit in die Zukunft. Die vielhundertjährige Ruine Deutschland soll wieder zu einem neuen kräftigen Baue erstarken, – die vielhundertjährige Ruine deutscher Kunst, deutscher Auffassung, deutschen Geistes sei das würdige Symbol dieser Auferstehung.«

Venedey: Der Dom zu Cöln. Konstanz: Buchdruckerei und Verlagshandlung in Belle-Vue, 1842. S. 12–15.

König Friedrich Wilhelm IV. (geb. 1795, reg. 1840–61) in seiner Festansprache anläßlich der Kölner Dombaufeier am 4. September 1842:

»Hier wo der Grundstein liegt, dort, mit jenen Thürmen zugleich sollen sich die schönsten Thore der ganzen Welt erheben. Deutschland baut sie – so mögen sie, für Deutschland, durch Gottes Gnade Thore einer neuen großen guten Zeit werden. [...] Der Geist, der diese Thore baut, ist derselbe der vor neunundzwanzig Jahren unsere Ketten brach, die Schmach des Vaterlandes, die Entfremdung dieses Ufers wandle derselbe Geist, der, gleichsam befruchtet von dem Segen des scheidenden Vaters, des letzten der drei großen Fürsten, vor zwei Jahren der Welt zeigte daß er in ungeschwächter Jugendkraft dasei. Es ist der Geist deutscher Einigkeit und Kraft. Ihm mögen die kölner Dompforten Thore des herrlichsten Triumphes werden! Er baue! Er vollende! Und das große Werk verkünde den spätesten Geschlechtern von einem durch die Einigkeit seiner Fürsten und Völker großen, mächtigen, ja den Frieden der Welt unblutig erzwingenden Deutschland! [...] Der Dom von Köln – das bitte Ich von Gott – rage über diese Stadt, rage über Deutschland, über Zeiten, reich an Menschenfrieden, reich an Gottesfrieden bis an das Ende der Tage!«

Zitiert nach einem zeitgenössischen Einblattdruck. Kölnisches Stadtmuseum. Sign. Dom 1842 – KH 200.

Am selben Tag erschien in der Festnummer der »Rheinischen Zeitung« unter dem Titel »Unserem Könige« ein Gedicht von Robert Prutz (1816–72). Die vorletzte Strophe (mit der Forderung nach einer Verfassung) war vom Zensor wegen angeblicher Verletzung von Grundwahrheiten der christlichen Religion gestrichen worden. Wenige Tage nach dem Dombaufest ließ der Leipziger Verleger Otto Wigand das (nachfolgend abgedruckte) ungekürzte Gedicht als Flugschrift verbreiten, worauf es verboten wurde.

Dem Könige von Preußen

Zum Kölner Dombaufest
D. 4. Septbr. 1842

Mit Festgeläut, Standarten, Ehrenbogen,
Den König grüßt der königliche Rhein.

Wie glänzt der Strom! wie drängen sich die Wogen!
Wie schaun die Ufer stolz und froh darein!
Die Freude jauchzt aus tausend muntern Kehlen
Und donnernd trägt der Wiederhall sie fort;
Doch darf zum Guten nicht das Beste fehlen:
Das ist, o Herr, ein freies Wort!

Du kommst, o Herr, zum Kölner Dombaufeste,
Mit eigner Hand den zweiten Grund zu weihn.
Sie rührten Dich, der Vorzeit edle Reste,
Laut sprach zu Dir das bröckelnde Gestein.
Ein Wink von Dir –! und die Gerüste steigen,
Sich wiederspiegelnd in dem goldnen Strom,
Und was sich auch für Wetterwolken zeigen,
Fortbaun willst Du den Kölner Dom.

Fortbaun, fürwahr! da hast Du es getroffen,
Das ist der Klang, der unserm Ohr gefällt,
Das ist es, das, was Deine Völker hoffen,
Das ist die Losung der verjüngten Welt!
Nicht Dome bloß, nicht Burgen und Paläste,
Bau' fort, o Herr, an einem andern Haus,
Bau' fort, bau' fort an einer andern Veste:
Den Dom der Freiheit, bau' ihn aus!

Fortbaun allein, Fortbauen heißt Erhalten!
Dieselbe Huld, die Du dem Dom bescheert,
O laß sie auch im Vaterlande walten,
Auch dies, bei Gott! ist einen Grundstein werth.
Dem Dome gleich, halb fertig, halb Ruine,
Erwartungsvoll steht unser theures Land:
Es schaut Dich an, es fleht mit stummer Miene –
Auch ihm, auch ihm ein Wink der Hand!

Warum nicht ihm? Warum nur Steine tragen,
Nur Heil'ge meißeln, Wölbungen erbaun?
Kein Herz wird Dir in diesen Mauern schlagen,

Kein Auge wird aus diesen Säulen schaun.
Dort aber kannst Du Herzen Dir entzünden,
Zum Tempel dort kannst Du ein Volk Dir weihn –
O lockt's Dich nicht, *den* Tempel auch zu gründen,
Bauherr der Freiheit auch zu sein?

Dem Krahne gleich dort auf des Thurmes Mauer,
Der regungslos manch ein Jahrhundert stand,
So steht die Presse, Herr! Sie steht voll Trauer,
Weil sie noch nicht die volle Freiheit fand.
O laß auch sie, auch sie sich neu bewegen,
Wie Du den Krahn sich neu bewegen heißt,
Und wonnevoll, der ganzen Welt zum Segen,
Grüßt: Protectori[7]! Dich der Geist. –

Herr, zürne nicht! Wir wissen, was wir wollen;
Und daß wir's frei bekennen, das ist Pflicht.
Sieh, die Geschichte drängt! die Räder rollen!
Und wollt' es Gott, Gott selber hielt' sie nicht!
Gieb frei den Weg! denn Freiheit ist das Beste,
Du baust mit ihr zugleich den eignen Thron:
So sprich das Wort zum zweiten Dombaufeste,
Sprich aus das Wort: *Konstitution!*

Das ist der Bau, zu welchem Du berufen,
Auf diesen Säulen gründe sich Dein Ruhm!
Hier knie Du mit uns auf denselben Stufen!
Denn auch die Freiheit ist ein Heiligthum.
Paläste fallen, Dome können brechen,
Die Freiheit nur währt ewig, ewig fort,
Und ewig dann zu Deinem Ruhm wird sprechen,
Das heut Dich grüßt, das freie Wort!

Prutz: Gedichte. Neue Sammlung. Zürich: Fröbel, [3]1846. S. 87–91.

7 (lat.) Schirmherr.

Zu Caput V (poetische Rhein-Diskussion)

Nikolaus Becker (1809–45):

Der deutsche Rhein [1840]

Sie sollen ihn nicht haben,
Den freien deutschen Rhein,
Ob sie wie gier'ge Raben
Sich heiser danach schrein,

Solang er ruhig wallend
Sein grünes Kleid noch trägt,
Solang ein Ruder schallend
In seine Woge schlägt.

Sie sollen ihn nicht haben,
Den freien deutschen Rhein,
Solang sich Herzen laben
An seinem Feuerwein;

Solang in seinem Strome
Noch fest die Felsen stehn,
Solang sich hohe Dome
In seinem Spiegel sehn.

Sie sollen ihn nicht haben,
Den freien deutschen Rhein,
Solang dort kühne Knaben
Um schlanke Dirnen frein;

Solang die Flosse hebet
Ein Fisch auf seinem Grund,
Solang ein Lied noch lebet
In seiner Sänger Mund.

Sie sollen ihn nicht haben,
Den freien deutschen Rhein,

Bis seine Flut begraben
Des letzten Manns Gebein!

Zitiert nach: Der deutsche Vormärz. Texte und Dokumente. Hrsg. von Jost Hermand. Stuttgart: Reclam, 1967 [u.ö.]. (Universal-Bibliothek, 8794 [5].) S. 128.

Alfred de Musset (1810–57) schrieb, nachdem er eine Übersetzung von Beckers Rheinlied in der »Revue des Deux Mondes« gelesen hatte, am 1. Juni 1841 seine »Réponse«:

Le Rhin Allemand

Réponse
à la chanson de Becker

Nous l'avons eu, votre Rhin allemand:
Il a tenu dans notre verre.
Un couplet qu'on s'en va chantant
Efface-t-il la trace altière
Du pied de nos chevaux marqué dans votre sang?

Nous l'avons eu, votre Rhin allemand.
Son sein porte une plaie ouverte,
Du jour où Condé triomphant
A déchiré sa robe verte.
Où le père a passé, passera bien l'enfant.

Nous l'avons eu, votre Rhin allemand.
Que faisaient vos vertus germaines,
Quand notre César tout-puissant
De son ombre couvrait vos plaines?
Où donc est-il tombé, ce dernier ossement?

Nous l'avons eu, votre Rhin allemand.
Si vous oubliez votre histoire,
Vos jeunes filles, sûrement,
Ont mieux gardé notre mémoire;
Elles nous ont versé votre petit vin blanc.

S'il est à vous, votre Rhin allemand,
Lavez-y donc votre livrée,
Mais parlez-en moins fièrement.
Combien, au jour de la curée,
Étiez-vous de corbeaux contre l'aigle expirant?

Qu'il coule en paix, votre Rhin allemand;
Que vos cathédrales gothiques
S'y reflètent modestement!
Mais craignez que vos airs bachiques
Ne réveillent les morts de leur repos sanglant.

Musset: Œuvres Complètes, Poésies Nouvelles 1833–1852. Paris: Conrad, 1923. S. 267f.

Übersetzung von Anton Gubitz:

Antwort Alfred de Musset's
auf Nicolaus Becker's Rheinlied

Wir hatten ihn schon, euern deutschen Rhein,
Des Glases Rand mocht' um ihn reichen.
Ein Lied – man singt's in sich hinein! –
Verlöschte das die hehren Zeichen,
Die unsrer Rosse Huf grub euerm Blute ein?

Wir hatten ihn schon, euern deutschen Rhein,
Sein Busen trägt die off'ne Wunde,
Des Tag's, wo Condé's[8] Siegerreih'n
Sein Kleid zerrissen bis zum Grunde.
Wo einst des Vaters Schritt, kann der des Sohn's auch sein.

Wir hatten ihn schon, euern deutschen Rhein.
Wo standen tapfere Germanen,
Als unsres Cäsars[9] mächt'ger Schein

8 Louis II. von Bourbon, Prinz von Condé (1621–86), französischer General, der 1644/45 bei Freiburg und Nördlingen Siege gegen bayrische Heere erfocht.
9 Gemeint ist Napoleon, auf dessen Niederlage gegen die Armeen der europäischen Koalition (1813) in Strophe 5 angespielt wird.

Euch überstrahlt auf seinen Bahnen?
Wo fiel es damals denn, des letzten Mann's Gebein?

Wir hatten ihn schon, euern deutschen Rhein.
Vergaßet *ihr* auch die Geschichte,
Doch eure jungen Mädchen? – Nein!
Da steh'n wir noch in bess'rem Lichte,
Denn sie kredenzten uns den schwachen weißen Wein.

Und ist er euer, euer deutscher Rhein,
Wascht eure Knechtestracht darinnen,
Doch minder stolz gedenket sein.
Wie viele Raben bei'm Beginnen
Der Hatz drangt ihr auf den erschöpften Adler ein?

Er ström' in Frieden, euer deutscher Rhein,
Daß eure goth'schen Kathedralen
Bescheiden ihm ihr Bildniß weih'n.
Doch wacht, daß eure Bacchanalen
Die Todten schrecken nicht aus ihrem blut'gen Schrein.

Das Rheinlied, dessen Freunde und Gegner in Frankreich. La Marseillaise de la paix et Réponse à M. Nicolas Becker par Alphonse de Lamartine et Alfred de Musset. Berlin: Schlesinger, 1841. S. 15.

Zu Caput VI und VII (Gedanke und Tat)

Heine in der 1835 erschienenen Schrift »Zur Geschichte der Religion und Philosophie in Deutschland«:

»Es ist entsetzlich, wenn die Körper, die wir geschaffen haben, von uns eine Seele verlangen. Weit grauenhafter, entsetzlicher, unheimlicher ist es jedoch, wenn wir eine Seele geschaffen und diese von uns ihren Leib verlangt und uns mit diesem Verlangen verfolgt. Der Gedanke, den wir gedacht, ist eine solche Seele, und er läßt uns keine Ruhe bis wir ihm seinen Leib gegeben, bis wir ihn zur sinnlichen Erscheinung gefördert. Der Gedanke will Tat, das Wort will Fleisch werden. Und wunderbar! der Mensch, wie der Gott der Bibel, braucht nur seinen Gedanken auszusprechen, und es gestaltet sich die Welt, es wird Licht oder es wird Finsternis, die Wasser sondern sich von dem Festland, oder gar wilde Bestien kommen zum Vorschein. Die Welt ist die Signatur des Wortes.

Dieses merkt Euch, Ihr stolzen Männer der Tat. Ihr seid nichts als unbewußte Handlanger der Gedankenmänner, die oft in demütigster Stille Euch all Eur Tun aufs Bestimmteste vorgezeichnet haben. Maximilian Robespierre war nichts als die Hand von Jean Jacques Rousseau[10], die blutige Hand, die aus dem Schoße der Zeit den Leib hervorzog, dessen Seele Rousseau geschaffen. Die unstete Angst, die dem Jean Jacques das Leben verkümmerte, rührte sie vielleicht daher, daß er schon im Geiste ahnte, welch eines Geburtshelfers seine Gedanken bedurften, um leiblich zur Welt zu kommen?

Der alte Fontenelle[11] hatte vielleicht Recht als er sagte: wenn ich alle Gedanken dieser Welt in meiner Hand trüge, so würde ich mich hüten sie zu öffnen. Ich meinesteils, ich denke anders. Wenn ich alle Gedanken dieser Welt in meiner Hand hätte – ich würde Euch vielleicht bitten, mir die Hand gleich abzuhauen; auf keinen Fall hielte ich sie so lange verschlossen. Ich bin nicht dazu geeignet ein Kerkermeister der Gedanken zu sein. Bei Gott! ich laß sie los. Mögen sie sich immerhin zu den bedenklichsten Erscheinungen verkörpern, mögen sie immerhin, wie ein toller Bacchantenzug, alle Lande durchstürmen, mögen sie mit ihren Thyrsusstäben[12] unsere unschuldigsten Blumen zerschlagen, mögen sie immerhin in unsere Hospitäler hereinbrechen, und die kranke alte Welt aus ihren Betten jagen – es wird freilich mein Herz

10 Jean-Jacques Rousseau (1712–78), französischer Schriftsteller und Philosoph; vor allem mit seinem »Contrat social« (1762) einer der geistigen Wegbereiter der Französischen Revolution.

11 Bernard le Bouvier de Fontenelle (1657–1757), französischer philosophischer Schriftsteller, der durch sein Eintreten für die Naturwissenschaften die Aufklärung vorbereitete.

12 mit Efeu und Weinlaub umwundene Stäbe des Bacchus und seines Gefolges, der Bacchanten.

sehr bekümmern und ich selber werde dabei zu Schaden kommen! Denn ach! ich gehöre ja selber zu dieser kranken alten Welt, und mit Recht sagt der Dichter: wenn man auch seiner Krücken spottet, so kann man darum doch nicht besser gehen. Ich bin der Krankste von Euch allen und um so bedauernswürdiger, da ich weiß was Gesundheit ist. Ihr aber, Ihr wißt es nicht, Ihr Beneidenswerten! Ihr seid kapabel zu sterben, ohne es selbst zu merken. Ja, viele von Euch sind längst tot und behaupten, jetzt erst beginne ihr wahres Leben. Wenn ich solchem Wahnsinn widerspreche, dann wird man mir gram und schmäht mich – und entsetzlich! die Leichen springen an mich heran, und schimpfen, und mehr noch als ihre Schmähworte belästigt mich ihr Moderduft ... Fort, Ihr Gespenster! ich spreche jetzt von einem Manne, dessen Name schon eine exorzierende Macht ausübt, ich spreche von Immanuel Kant!
Man sagt, die Nachtgeister erschrecken, wenn sie das Schwert eines Scharfrichters erblicken – Wie müssen sie erst erschrecken, wenn man ihnen Kants ›Kritik der reinen Vernunft‹ entgegenhält! Dieses Buch ist das Schwert, womit der Deismus hingerichtet worden in Deutschland.«

HSS III,592–594.

Manfred Windfuhr (geb. 1930):

»Aus dem Text des ›Wintermärchens‹ geht hervor, daß Heine die seit dem Börnebuch vorgenommene Trennung zwischen politischem Denker und politischem Vollstrecker weiterhin aufrecht hält. Auf einem Teil der Reise begleitet ihn ein Dämon, der als der Vollstrecker seiner Gedanken bezeichnet wird. Er trägt ein Beil mit sich und führt aus, was der Dichter gedacht hat. [...]
Dieses Beil wird nicht wie im ›Ritter Olaf‹ eingesetzt, um die alte Ordnung gewaltsam aufrechtzuerhalten, sondern um den neuen Gedanken Bahn zu brechen. Heine geht davon aus, daß Volkstribune und Gewalt notwendig sind, um die erstarrten Positionen der Restauration zu beseitigen. Er

selbst will und kann sich an der Durchsetzung der Gedanken nicht unmittelbar beteiligen. Er kann Symbole entzaubern und Legenden zertrümmern, aber er kann nicht die Rolle des Politikers übernehmen. Heine hält an der Trennung fest, weil er an die Macht des Wortes glaubt, Liktoren in Bewegung zu setzen, und weil er davon ausgeht, daß politisches Denken und politisches Handeln in einer Person nicht optimal zu verbinden sind.«

Windfuhr: Heinrich Heine. Revolution und Reflexion. Stuttgart: Metzler, 1969. S. 232.

Karl-Heinz Fingerhut (geb. 1939):

»Das romantische Motiv des Reisebegleiters, verbunden mit der historischen Anspielung auf das republikanische Rom, seine Konsuln und Tribune, liefert die Kulisse einer Selbst-Inszenierung des Dichters, für die charakteristisch ist, daß sie im ersten der beiden Kapitel ernst genommen wird, um dann, wenn sich der Leser auf dieses Selbstverständnis des Dichters eingelassen hat, durch die Einbettung der ›Tat‹, die zum ›Gedanken‹ des vierten Caput gehört, in den Traum des Erzähler-Ichs und das Raisonnement über den Traum der Deutschen im allgemeinen ironisch relativiert zu werden. Dieser Prozeß ist charakteristisch für Heines Schreibweise, die sich gegen das Pathos des poetologischen Manifests wehrt.

Der Gefahr, den stummen und ernsten Begleiter und den nach dem (verkehrten) alttestamentarischen Ritual (2. Mose 12) seine Feinde richtenden Dichter ernst zu nehmen als direkte politische Aussage, sind immer wieder Interpreten erlegen, u. a. auch diejenigen, die in dem stummen, willenlosen Ausführer der Heineschen Gedanken das Proletariat sehen wollen (wohl wegen der Charaktermerkmale ›praktischer Natur, schweigsam, ruhig‹, die zum Typus des Proleten der Vormärzliteratur gehören [...]). Es ist auffallend, daß bereits der Begleiter selbst die pathetische In-eins-Setzung des Erzählers mit Paganini, Sokrates und Napoleon (d.h. mit Künstler, Denker, Herrscher) relativiert, wenn er den Dichter bittet, ›nicht emphatisch‹ zu werden. Allerdings ist dieser Eindruck durch den rhetorisch effektvollen Kapitelschluß (Merkspruch) schnell verwischt. Deshalb ist eine Ebenen-Verschiebung nötig; die ›Teilung der Erde‹ benachteiligt den deutschen Träumer, den Nur-Denker, als solcher aber ist jener wiederum derjenige, welcher die Götter erbleichen läßt, eine Anspielung auf die Rolle der deutschen Philosophie [...]. Es bleibt offen, wieweit das Wort ›Traum‹ des Caput VII das Wort ›Gedanken‹ des Caput VI wieder aufnimmt und weiterführt. Die Kulisse des Traumes ermöglicht zudem ein verstecktes Bekenntnis: während der Dichter und sein Begleiter an die Exekution der romantischen Relikte des Mittelalters gehen, wird zweimal, zu Beginn und am Ende des Traums, das Motiv des Herzblutens als Zeichen der Selbstzerstörung gesetzt. Man hat darin die geheime Affinität des ›Romantikers‹ Heine zu dem, was er als politischer Autor bekämpft, sehen wollen. Die Struktur der gesamten Episode legt eine andere Deutung nahe: es kam Heine darauf an, die tendenzpoetisch eindeutige Manifestsprache durch das Schaffen von Unbestimmtheitsstellen im Text ästhetisch zu überwinden, das heroische Selbstportrait des die Traditionen Richtenden zu relativieren durch die Verlegung des Geschehens in einen Traum, der nicht ohne Alptraum-Züge ist.«

Fingerhut: Heinrich Heine: Deutschland. Ein Wintermärchen. Frankfurt a. M.: Diesterweg, 1976. S. 54 f.

Zu Caput XIII (Christus-Parallele)

Georg Günther druckt 1845 Heines Caput XIII nach und fügt folgende Verse an:

Hat einen Fluch der Himmel noch,
An den Du Sünder nie geglaubt,
Vor allen andern grausenhaft,
Er schleudr' ihn auf Dein Lästerhaupt!
Um Deine Seele müssen sich
Zween Teufel zähnefletschend balgen,

Indeß, von ekler Rabenschaar
Umkrächst, der Körper fault am Galgen!

Wo dieses Liedes Klang ihn trifft,
Da wird der Spötter selbst sich härmen,
Und wühlen wird's, wie fressend Gift,
Selbst in des kältsten Freigeist's Därmen.
Was in des tollsten Wahnsinns Graus
Von Pöbellippen nie geklungen:
Ein deutscher Dichter spricht es aus,
Ein deutscher Dichter hat's gesungen!!

Hört, Ihr am Cap, in Labrador,
Hört, Ihr an Otaheiti's[13] Borden,
Hör' es, bekehrter, schwarzer Mohr,
Was zu *Paris* gedichtet worden!
Nicht gift'ger ist der Boa Zahn,
Nicht sengender ist die Sahara;
So weit verstieg sich nie der Wahn
Im Schädel des Titanen Marat.[14]

Erröthe denn, o Vaterland,
Für ihn, der nicht mehr kann erröthen!
Weh' Dir, daß Du ihn Sohn genannt,
Der Deine Blüthe Dir will tödten!
Sieh': Heinrich Heine, Exulant[15],
Der Spielball der Pariser Nymphen,
In allen Pfützen wohlbekannt,
Er wagt's, den Gottessohn zu – *schimpfen!!*

Verstumm' auf ewig deutsches Lied,
Zerbrecht, Poeten, Eure Leier,
Wenn mit Euch in die Schranken zieht
Dies fratzenhafte Ungeheuer!

13 Tahitis.
14 Jean Paul Marat (1744–93), einer der radikalsten Volksführer in der Französischen Revolution.
15 (lat.) Flüchtling, Verbannter.

Zwar wissen wir, Du bist bankrott
An Glauben, Sitten und am Leibe;
Nun aber höhnst Du, Bube, Gott,
Und höhnst ihn – Dir zum Zeitvertreibe! –

Der Zweifel hat manch kühnes Wort,
Denn ungebeugt herrscht der Gedanke,
Du aber stürmst und treibest fort
Gesetz- und maaßlos jede Schranke.
Nicht wie ein überschäumend Meer,
Deß wildem Rauschen Alles weichet,
Nein! wie ein Pfuhl von Schlamme schwer,
Drin Ungeziefer wühlt und schleichet.

[...]

Doch sieh, der stets gesung'ne Ton
Spukt immer noch Dir im Gehirne!
Wenn Deine Buhlen all' entflohn,
Kokette, frech geschminkte Dirne: –
Den alten Leib, der halb verwes't,
Du schmückst ihn mit pikantern Reizen,
Du höhnst nun den, der uns erlös't,
Und schreibst – und schreibst Dein Caput dreizehn! –

Woher hast Du dies tolle Kleid?
Wo fandst Du es, in welchem Bazar?
Glaub', Heine, nur: sie ist nicht weit,
Die Hand des Babelschen Belsazar[16].
Sie ist schon da; sie schreibt Dir schon
An Deine Wand das Anathema[17];
Mit kleiner Variation
Ist's immer noch das alte Schema:

16 Dem letzten König von Babylon wurde durch das ›Menetekel‹ der baldige Untergang seines Reiches verkündet (vgl. Daniel 5).
17 (griech.) Verfluchung, Kirchenbann.

Du bist, Poet, von Gott verdammt.
Lass' ab zu reimen und zu dichten!
Geschändet ist Dein heilig Amt,
Nicht braucht die Nachwelt Dich zu richten:
Die Mitwelt thut's, sie reiß't vom Haupt
Dir die entwürdigten Kokarden;
Dein Lorberkranz ist schon bestaubt
Vom Schmutze Deiner Poissarden[18].

Günther: Liederkranz. Lyrisches und Religiöses. Celle: o.V., 1845. S. 72–75.

Giorgio Tonelli:

»Heine hat immer klar unterschieden zwischen dem Christentum und der Gestalt Christi. Während er das Christentum vor allem in seiner römischen und späteren katholischen Form als ein bloßes instrumentum regni[19] der Reaktion betrachtet, dessen positive Funktion allenfalls darin bestanden hat, für gewisse unvermeidliche Leiden einen Scheintrost geliefert zu haben, sieht er in Christus hingegen den Feind der Pfaffen und der Mächtigen, der eine Religion der Freiheit und der Gleichheit gepredigt hat und für politische und soziale Reformen in demokratischem Sinne eingetreten ist.
So wird verständlich, daß Heine ihn hier blasphemisch-großmütig ›mein armer Vetter‹ nennen kann und ihn dann sogar behandelt als ›Du Narr, du Menschheitsretter!‹. Er habe den Fehler begangen, daß er eine allzu deutliche Sprache gesprochen habe – und dazu am falschen Ort – und daß er die Reichen und Pfaffen offen angegriffen habe; deshalb sei er schließlich ans Kreuz geschlagen worden. Er hätte etwas vorsichtiger sein sollen:

Besaßest ja Geist und Talent genug
Und konntest schonen die Frommen!

Christi Fehler sei also gewesen, daß er neben dem ›Talent‹ allzu viel ›Charakter‹ gezeigt habe: ›unglücklicher Schwär-

18 frz. poissard ›pöbelhaft, frech‹; poissarde ›Fischweib, freches Weib‹.
19 (lat.) Herrschaftsinstrument.

mer!‹ Das Kreuz wird so zu einer Mahnung und Warnung für alle, die allzu lauten Protest erheben. Um ein Reformwerk zu vollbringen, bedürfe es vielmehr einer vorsichtigen, elastischen Taktik, wie sie Heine selbst anzuwenden meint. Seine Kompromisse, die von den ungestümen, naiven Revolutionären als Verrat verurteilt wurden, seien nur dem eigentlichen Ziel, dem Triumph der Menschenrechte angepaßte, taktische Schritte.
Der blasphemische Ton dieser Worte über Christus erklärt sich aus einer anderenorts von Heine vertretenen Theorie, wonach der entmystifizierenden Ironie eine wesentliche propagandistische und ideologische Funktion zukommt.«

Tonelli: Heinrich Heines politische Philosophie (1830–1845). Hildesheim: Olms, 1975. S. 173f.

Maria-Beate von Loeben:

»Als Verkörperung des tragisch mißverstandenen Menschheitsretters wählt Heine Christus, den er in Anspielung auf die Bluts- und die hier implizierte Geistesverwandtschaft ›Vetter‹ nennt. Die bittere Ironie der Strophen 5–10 richtet sich keineswegs gegen Christus, sondern gegen die Welt, deren Mißverstehen der Mission Christi hier exemplarischen Charakter hat. Indem das Leben Christi in Heines eigene Gegenwart projiziert wird, werden die Beziehungen zwischen beiden hervorgehoben (Str. 6–8), die in Strophe 5 bereits eingeleitet wurden [...].
Wenn Heine nun Christus als ›Narr‹ anspricht (Cap. 13, Str. 5) und sich zugleich mit ihm identifiziert, dann verweist das auf eine ganz bestimmte Narrenvorstellung und damit auf die Rolle, in der sich Heine im ›Wintermärchen‹ offenbar versteht. Die Gleichsetzung ›Du Narr, du Menschheitsretter‹ läßt drei Merkmale hervortreten, die für den einen wie den anderen Typus charakteristisch sind: erstens das Bemühen um Dinge, die niemals Ruhm oder Lohn einbringen werden, zweitens das Aussprechen von Wahrheiten ohne Rücksicht auf die eigene Person, und drittens der Standpunkt außerhalb jeder konventionellen gesellschaftlichen

Bindung. Es ist auffallend, wie häufig die Figur des weisen Narren, der seinem Herrn treu ergeben ist, in Heines Werk auftaucht. Im ›Wintermärchen‹ erinnert die bittere Komik, mit der Heine den Deutschen die Augen öffnen will für ihre gefährlichen Selbsttäuschungen, an eine ganz spezielle Narrenfigur, die Heine besonders faszinierte: den ›Fool‹ in Shakespeares ›King Lear‹.«

Von Loeben: Deutschland. Ein Wintermärchen. Politischer Gehalt und poetische Leistung. In: Germanisch-Romanische Monatsschrift N. F. 20 (1970) S. 282f.

Zu Caput XIV–XVII (Barbarossa/Mittelalter-Restauration)

Kyffhäuser-Sagen:

Friedrich Rotbart auf dem Kyffhäuser

Von diesem Kaiser gehen viele Sagen im Schwange. Er soll noch nicht tot sein, sondern bis zum Jüngsten Tage leben, auch kein rechter Kaiser nach ihm mehr aufgekommen. Bis dahin sitzt er verhohlen in dem Berg Kyffhausen und wann er hervorkommt, wird er seinen Schild hängen an einen dürren Baum, davon wird der Baum grünen und eine bessere Zeit werden. Zuweilen redet er mit den Leuten, die in den Berg kommen, zuweilen läßt er sich auswärts sehen. Gewöhnlich sitzt er auf der Bank an dem runden steinernen Tisch, hält den Kopf in die Hand und schläft, mit dem Haupt nickt er stetig und zwinkert mit den Augen. Der Bart ist ihm groß gewachsen, nach einigen durch den steinernen Tisch, nach andern um den Tisch herum, dergestalt daß er dreimal um die Rundung reichen muß, bis zu seinem Aufwachen, jetzt aber geht er erst zweimal darum.

Ein Bauer, der 1669 aus dem Dorf Reblingen Korn nach Nordhausen fahren wollte, wurde von einem kleinen Männchen in den Berg geführt, mußte sein Korn ausschütten und sich dafür die Säcke mit Gold füllen. Dieser sah nun den Kaiser sitzen, aber ganz unbeweglich.

Auch einen Schäfer, der einstmals ein Lied gepfiffen, das

dem Kaiser wohlgefallen, führte ein Zwerg hinein, da stand der Kaiser auf und fragte: »Fliegen die Raben noch um den Berg?«Und auf die Bejahung des Schäfers rief er: »Nun muß ich noch hundert Jahre länger schlafen.«

Der Hirt auf dem Kyffhäuser

Etliche sprechen, daß bei Frankenhausen in Thüringen ein Berg liege, darin Kaiser Friedrich seine Wohnung habe und vielmal gesehen worden. Ein Schafhirt, der auf dem Berge hütete und die Sage gehört hatte, fing an auf seiner Sackpfeife zu pfeifen und als er meinte, er habe ein gutes Hofrecht gemacht, rief er überlaut: »Kaiser Friedrich, das sei dir geschenkt!« Da soll sich der Kaiser hervorgetan, dem Schäfer offenbart und zu ihm gesprochen haben: »Gott grüß dich, Männlein, wem zu Ehren hast du gepfiffen?« »Dem Kaiser Friedrich«, antwortete der Schäfer. Der Kaiser sprach weiter: »Hast du das getan, so komm mit mir, er soll dir darum lohnen.« Der Hirt sagte: »Ich darf nicht von den Schafen gehen.« Der Kaiser aber antwortete: »Folge mir nach, den Schafen soll kein Schaden geschehen.« Der Hirt folgte ihm und der Kaiser Friedrich nahm ihn bei der Hand und führte ihn nicht weit von den Schafen zu einem Loch in den Berg hinein. Sie kamen zu einer eisernen Tür, die alsbald aufging, nun zeigte sich ein schöner, großer Saal, darin waren viel Herren und tapfre Diener, die ihm Ehre erzeigten. Nachfolgends erwiese sich der Kaiser auch freundlich gegen ihn und fragte, was er für einen Lohn begehre, daß er ihm gepfiffen? Der Hirt antwortete: »Keinen.« Da sprach aber der Kaiser: »Geh hin und nimm von meinem güldnen Handfaß den einen Fuß zum Lohn.« Da tat der Schäfer, wie ihm befohlen ward, und wollte darauf von dannen scheiden, da zeigte ihm der Kaiser noch viel seltsame Waffen, Harnische, Schwerter und Büchsen und sprach, er sollte den Leuten sagen, daß er mit diesen Waffen das Heilige Grab gewinnen werde. Hierauf ließ er den Hirt wieder hinaus geleiten, der nahm den Fuß mit, brachte ihn den andern Tag zu einem Goldschmied, der ihn für echtes Gold anerkannte und ihm abkaufte.

Brüder Grimm: Deutsche Sagen. Hrsg. von Hermann Gerstner. Stuttgart: Reclam, o. J. (Universal-Bibliothek. 6806 [2].) S. 23f. und 77f.

Den Inhalt dieser Sagen referiert Heine in der französischen Ausgabe der »Elementargeister« (1835); vorangestellt sind folgende Bemerkungen:

»Vielleicht sind die Franzosen auch berufen, mit der größten Genauigkeit die Symbole des Mittelalters zu deuten. Die Franzosen sind seit langem dem Mittelalter entwachsen, sie betrachten es mit Ruhe und können seine Schönheiten mit philosophischer oder künstlerischer Unparteilichkeit würdigen. Wir Deutschen stecken noch tief drin in diesem Mittelalter: wir bekämpfen noch seine hinfälligen Repräsentanten; folglich können wir es nicht sehr wohlwollend bewundern. Wir müssen uns im Gegenteil zu parteiischem Haß erhitzen, damit unsere zerstörerische Kraft nicht gelähmt wird.
Ihr Franzosen könnt das Rittertum bewundern und lieben. Euch sind davon nur hübsche Chroniken und eiserne Rüstungen übriggeblieben. Ohne Gefahr könnt ihr so eure Einbildungskraft unterhalten und eure Neugier befriedigen. Aber bei uns Deutschen ist die Chronik des Mittelalters noch nicht zugeschlagen; erst vor kurzem geschriebene Seiten sind noch naß vom Blut unserer Verwandten und Freunde, und jene funkelnden Harnische schützen noch die lebendigen Leiber unserer Henker. Nichts hindert euch Franzosen, die alten gotischen Formen hochzuschätzen. Für euch sind die großen Kathedralen wie Notre-Dame de Paris nichts anderes als Baukunst und Romantik; für uns sind es die furchtbarsten Festungen unserer Feinde. Für euch sind Satan und seine höllischen Gesellen nur Poesie: bei uns gibt es Schufte und Narren, die den Glauben an den Teufel und an die höllischen Verbrechen der Hexen philosophisch zu rechtfertigen suchen. Daß das in München geschieht, ist nor-

mal; aber daß man im aufgeklärten Württemberg die alten Hexenprozesse zu rechtfertigen versucht, daß ein ernsthafter Schriftsteller, Herr Justinus Kerner[20], es unternommen hat, den Glauben an Besessene zu beleben, ist ebenso schmerzlich wie abstoßend.

O ihr schwarzen Schufte und ihr Schwachsinnigen aller Farben! Vollendet euer Werk, entzündet das Hirn des Volkes durch den alten Aberglauben, stoßt es auf den Weg des Fanatismus; ihr selbst werdet eines Tages seine Opfer werden; ihr werdet dem Schicksal der ungeschickten Geisterbeschwörer nicht entgehen, die am Ende der Geister, die sie riefen, nicht mehr Herr werden konnten und von ihnen in Stücke gehauen wurden.

Vielleicht ist der Gott der Revolution außerstande, das deutsche Volk durch die Vernunft in Bewegung zu bringen, vielleicht ist es die Aufgabe der Verrücktheit, dies schwierige Werk zu vollbringen? Wenn das Blut ihm einmal siedend in den Kopf steigt, wenn es wieder sein Herz schlagen fühlt, wird das Volk weder die frommen Reden der bayrischen Heuchler noch das mystische Gemurmel der schwäbischen Schwätzer mehr hören; sein Ohr kann nur noch die große Stimme des Menschen vernehmen.

Was ist das für ein Mensch?

Es ist der Mann, den das deutsche Volk erwartet, der Mann, der ihm endlich das Leben und das Glück geben wird – das Glück und das Leben, nach denen er so lange in seinen Träumen geseufzt hat. Wie lange zögerst du, den die Alten mit so brennendem Verlangen angekündigt haben, den die Jugend mit soviel Ungeduld erwartet, der das göttliche Zepter der Freiheit und die Kaiserkrone ohne Kreuz trägt?

Schließlich ist hier nicht der Ort, um aufzurufen, um so weniger, als ich mich damit von meinem Thema entfernen würde. Ich habe nur von unschuldigen Sagen zu sprechen,

20 Über Justinus Kerners (1786–1862) Hauptwerk – »Die Seherin von Prevorst. Eröffnungen über das innere Leben des Menschen und über das Hereinragen einer Geisterwelt in die unsere« (Stuttgart 1829) – hat Heine sich auch im »Schwabenspiegel« mokiert (vgl. HSS V,59f.).

von dem, was man hinter deutschen Öfen singt und sagt. Ich bemerke, daß ich nur sehr dürftig von den Geistern gesprochen habe, die die Berge bewohnen, z.B. habe ich nichts vom Kyffhäuser gesagt, wo der Kaiser Friedrich wohnt. Dieser ist allerdings kein Elementargeist, und nur solche habe ich in dieser Schrift zu behandeln. Aber die Sage ist zu anmutig und zu hinreißend; jedesmal, wenn ich an sie dachte, war meine Seele heftig von Verlangen und geheimnisvoller Hoffnung bewegt. Gewiß steckt mehr als ein Märchen in dem Glauben, Kaiser Friedrich, der alte Barbarossa, sei nicht tot; sondern als ihn die Pfaffen zu sehr belästigten, entfloh er in einen Berg, der den Namen Kyffhäuser trägt. Man sagt, daß er dort mit seinem gesamten Hofstaat bis zu der Zeit verborgen bleibt, da er wieder auf der Erde erscheinen wird, um das Glück des deutschen Volkes zu machen. Dieser Berg ist in Thüringen, unweit Nordhausen. Ich kam dort oft vorbei, und in einer schönen Winternacht blieb ich länger als eine Stunde stehen und rief mehrmals: ›Komm, Barbarossa, komm!‹, und das Herz brannte mir wie Feuer in der Brust, und Tränen liefen mir über die Wangen. Aber er kam nicht, der liebe Kaiser Friedrich, und ich konnte nur den von ihm bewohnten Felsen umarmen.«

Übersetzung nach: HSS III,1019f.

Gustav Pfizer (1807–90):

Die deutschen Kaiser

Nürnberg nicht fern ist ein Hügel,
Darin es oft seltsam braust,
Wo Karl, der größte der Kaiser,
Wohl tausend Jahre schon haust.

Kyffhäuser ein Berg ist geheißen,
Mit Schachten und Wölbungen tief,
Darin schon manches Jahrhundert
Rothbart, der Staufe, verschlief.

Wie spät ein Geist noch die Leiche
Des modernden Leibes umschwebt,
So kettet ein Schwur sie dem Volke,
Das einst ihr Athem belebt,

Als noch ihr Scepter die Erde,
Ihr Blick den Himmel umspannt;
Doch klein ist jetzt ihre Zelle,
Ihr Reich ein geschändetes Land.

Der Eine, von zwölf Paladinen
Umringt, hört zürnend die Mähr
Von seinem Thron der gefallen,
Und rüstet verborgen ein Heer;

Wohl zucken im Dunkel oft Flammen,
Wohl tost und zittert der Grund;
Doch lüften nicht kann er die Decke,
Nicht öffnet die Tiefe den Mund.

Der Andere sieht, in dem Schlummer,
Aus dem kein Morgen erweckt,
Sein Panner im Sturm auf die Pforte
Der Morgenröthe gesteckt,

Und seine Krone mit Zweigen
Des ewigen Lorbeers umlaubt,
Es rauschen im Traume die Palmen
Hoch über des Schlummernden Haupt.

Wer weckt den Schläfer einst wieder
Und ruft den Sieger zum Fest,
Indessen die Erde sich öffnet,
Ihr Schooß die Gebannten entläßt?

Wann ist dem gebietenden Franken
Die Zeit der Verheißung erfüllt?
Wann wird im Äther dem Staufen
Der Durst nach Sonne gestillt?

Wann reichen vereint sie dem Dritten,
Dem Hohenzoller, die Hand?
Und steigen als freudige Sterne
Empor vom geretteten Land?

Fünfzehn Politische Gedichte. Zweite, mit einem Anhange verm. Aufl. Stuttgart: Wachendorf, 1831. S. 12f.

Emanuel Geibel (1815–84):

Friedrich Rothbart

Tief im Schooße des Kyffhäusers
Bei der Ampel rothem Schein
Sitzt der alte Kaiser Friedrich
An dem Tisch von Marmorstein.

Ihn umwallt der Purpurmantel,
Ihn umfängt der Rüstung Pracht,
Doch auf seinen Augenwimpern
Liegt des Schlafes tiefe Nacht.

Vorgesunken ruht das Antlitz,
Drin sich Ernst und Milde paart,
Durch den Marmortisch gewachsen
Ist sein langer, goldner Bart.

Rings wie eh'rne Bilder stehen
Seine Ritter um ihn her,
Harnischglänzend, schwertumgürtet,
Aber tief im Schlaf, wie er.

Heinrich auch, der Ofterdinger[21],
Ist in ihrer stummen Schaar,
Mit den liederreichen Lippen,
Mit dem blondgelockten Haar.

21 sagenhafter Sänger des deutschen Mittelalters, in dem Gedicht vom »Sängerkrieg auf der Wartburg« (2. Hälfte des 13. Jh.s) Verteidiger des Ruhms des Herzogs von Österreich.

Seine Harfe ruht dem Sänger
In der Linken ohne Klang,
Doch auf seiner hohen Stirne
Schläft ein künftiger Gesang.

Alles schweigt, nur hin und wieder
Fällt ein Tropfen vom Gestein,
Bis der große Morgen plötzlich
Bricht mit Feuersgluth herein;

Bis der Adler[22] stolzen Fluges
Um des Berges Gipfel zieht,
Daß vor seines Fittigs Rauschen
Dort der Rabenschwarm entflieht.

Aber dann wie ferner Donner
Rollt es durch den Berg herauf,
Und der Kaiser greift zum Schwerte
Und die Ritter wachen auf.

Laut in seinen Angeln tönend
Springet auf das eh'rne Thor,
Barbarossa mit den Seinen
Steigt im Waffenschmuck empor.

Auf dem Helm trägt er die Krone
Und den Sieg an seiner Hand,
Schwerter blitzen, Harfen klingen,
Wo er schreitet durch das Land.

Und dem alten Kaiser beugen
Sich die Völker allzugleich,
Und aufs Neu zu Aachen gründet
Er das heil'ge deutsche Reich.

Geibel: Gedichte. Berlin: Duncker, 1840.
S. 116–118.

22 der preußische Adler (vgl. Cap. III und XVIII).

Heine in »Ludwig Börne. Eine Denkschrift« (1840):

»Auch letzteres [Deutschland] erwartet einen Befreier, einen irdischen Messias – mit einem himmlischen haben uns die Juden schon gesegnet – einen König der Erde, einen Retter mit Szepter und Schwert, und dieser deutsche Befreier ist vielleicht derselbe, dessen auch Israel harret ...
O teurer, sehnsüchtig erwarteter Messias!
Wo ist er jetzt, wo weilt er? Ist er noch ungeboren oder liegt er schon seit einem Jahrtausend irgendwo versteckt, erwartend die große rechte Stunde der Erlösung? Ist es der alte Barbarossa, der im Kyffhäuser schlummernd sitzt auf dem steinernen Stuhle und schon so lange schläft, daß sein weißer Bart durch den steinernen Tisch durchgewachsen ... nur manchmal schlaftrunken schüttelt er das Haupt und blinzelt mit den halbgeschlossenen Augen, greift auch wohl träumend nach dem Schwert ... und nickt wieder ein, in den schweren Jahrtausendschlaf!
Nein, es ist nicht der Kaiser Rotbart, welcher Deutschland befreien wird, wie das Volk glaubt, das deutsche Volk, das schlummersüchtige, träumende Volk, welches sich auch seinen Messias nur in der Gestalt eines alten Schläfers denken kann.«

HSS IV,119f.

Zu Caput XXVI und XXVII (Aristophanes)

Der Schluß von Aristophanes' (um 445 v. Chr. bis um 385 v. Chr.) Komödie »Die Vögel« (V. 1706–65):

Exodos

(Ein Bote tritt auf.)

Bote. O die ihr alle Güter, unsagbar große, genießt,
O dreimal seliges, o du gefiedertes Vogelvolk,
Empfangt den Herrscher in dem prächtigen Palast!
Er kommt daher so strahlend, wie noch nie ein Stern
Am golden schimmernden Himmelsdom geleuchtet hat.
Und auch der Sonne weithin glänzendes Strahlenlicht

Hat nicht so hell geleuchtet, wie dieser nun sich naht,
An seinem Arm des Weibes Schönheit unaussprechlich,
Den Blitzstrahl schwingend, Zeus' geflügeltes Geschoß.
Ein unsagbarer Duft durchströmt des Weltalls Tiefen –
Ein herrlich Schauspiel! Und die Lüfte streichen durch
Das dichte Netz des himmelan steigenden Räucherwerks.
Doch seht, da ist er selbst. Nun laßt ertönen
Der Muse heilig, glückverheißend Lied.

(Der Chor stellt sich zum Empfang des Festzuges auf, in dem Ratefreund[23] und Basileia erscheinen.)

Chorführer. Reihet euch, richtet euch,
Schwenket ein, Front gemacht!
Fliegend umschwebt den
Seligen, seligen Glückes voll.

Chor *(zunächst auf Basileia, dann auf Ratefreund weisend).*
O seht, seht die Anmut, die Schönheit!
Glücksel'ger Bund, den dieser Stadt du durch die Hochzeit schufst.

Chorführer.
Großes Glück, großes Heil umwaltet das Volk
Der Vögel durch dich,
Einen solchen Mann. So empfanget denn nun
Mit Hochzeitsgesängen und bräutlichem Lied
Ihn selbst und die Braut Basileia!

Chor. Mit Hera der Himmlischen
Vermählten die Moiren[24] einst
Den mächtigen Herrn
Des erhabenen Götterthrons
Mit solchem Hochzeitslied.
Hymen, o Hymenaios!

Und Eros, der blühende,
Der goldengeflügelte,
Hielt straffend gespannt die Zügel,

23 Übersetzung des sprechenden Namens ›Peithetairos‹.
24 Schicksalsgöttinnen.

Der Hochzeit des Zeus gesellt
Und der seligen Hera.
Hymen, o Hymenaios!

Ratefreund.
Mich erfreuen die Lieder, ergötzt der Gesang,
Ich bewundre die Worte. Doch preiset nun auch
Das erderschütternde Donnergetön
Und die feuersprühenden Blitze des Zeus,
Ihr furchtbares, blendendes Strahlen!

Chor.
Mächtiger, goldener, leuchtender Flammenstrahl,
Göttlicher, glühender Speer des Zeus,
Erderschütternde, weithin grollende,
Regenumrauschte Gewitter,
Mit denen nun dieser die Erde pflügt,
Alles beherrscht und zur Gattin hat
Die Gefährtin des Zeus, Basileia.
Hymen, o Hymenaios!

Ratefreund. So folgt nun unserm Hochzeitszug,
Leicht beschwingtes Vogelvolk,
Fliegt mit mir zum Palast des Zeus
Und zum bräutlichen Gemach!
(Zu Basileia.)
Streck aus die Hand, du Glückliche,
Fasse meine Flügel an!
Im Reigentanze schwing ich dich
Hoch empor in die Lüfte.

Chor. Alalai, i-eh Paian!
Heil dir, dem Sieggekrönten!
Heil dem Mächtigsten aller Götter!

Aristophanes: Die Vögel. Übers. von Christian Voigt. Stuttgart: Reclam, 1971 [u.ö.]. (Universal-Bibliothek. 1379 [2].) S. 79–81.

Heine im 2. Buch der »Romantischen Schule« (1833):

»Nach seinem [Ludwig Tiecks] Beispiel haben viele deutsche Dichter sich ebenfalls dieser Form bemächtigt, und wir erhielten Lustspiele, deren komische Wirkung nicht durch einen launigen Charakter oder durch eine spaßhafte Intrige herbeigeführt wird, sondern die uns gleich unmittelbar in eine komische Welt versetzen, in eine Welt, wo die Tiere wie Menschen sprechen und handeln und wo Zufall und Willkür an die Stelle der natürlichen Ordnung der Dinge getreten ist. Dieses finden wir auch bei Aristophanes. Nur daß letzterer diese Form gewählt, um uns seine tiefsinnigsten Weltanschauungen zu offenbaren, wie z. B. in den ›Vögeln‹, wo das wahnwitzigste Treiben der Menschen, ihre Sucht, in der leeren Luft die herrlichsten Schlösser zu bauen, ihr Trotz gegen die ewigen Götter und ihre eingebildete Siegesfreude in den possierlichsten Fratzen dargestellt ist. Darum eben ist Aristophanes so groß, weil seine Weltansicht so groß war, weil sie größer, ja tragischer war als die der Tragiker selbst, weil seine Komödien wirklich ›scherzende Tragödien‹ waren: denn z. B. Paisteteros wird nicht am Ende des Stückes, wie etwa ein moderner Dichter tun würde, in seiner lächerlichen Nichtigkeit dargestellt, sondern vielmehr er gewinnt die Basilea, die schöne, wundermächtige Basilea, er steigt mit dieser himmlischen Gemahlin empor in seine Luftstadt, die Götter sind gezwungen, sich seinem Willen zu fügen, die Narrheit feiert ihre Vermählung mit der Macht, und das Stück schließt mit jubelnden Hymenäen. Gibt es für einen vernünftigen Menschen etwas grauenhaft Tragischeres als dieser Narrensieg und Narrentriumph! So hoch aber verstiegen sich nicht unsere deutschen Aristophanesse; sie enthielten sich jeder höheren Weltanschauung; über die zwei wichtigsten Verhältnisse des Menschen, das politische und das religiöse, schwiegen sie mit großer Bescheidenheit; nur das Thema, das Aristophanes in den ›Fröschen‹ besprochen, wagten sie zu behandeln: zum Hauptgegenstand ihrer dramatischen Satire wählten sie das Theater selbst, und sie satirisierten, mit mehr oder minderer Laune, die Mängel unserer Bühne.«

Heine: Die romantische Schule. Kritische Ausgabe. Hrsg. von Helga Weidmann. Stuttgart: Reclam, 1976. (Universal-Bibliothek. 9831 [5].) S. 76f.

In einem am 12. Oktober 1825 an Friederike Robert gerichteten Brief äußert Heine über »Die Vögel«:

»[...] ich sehe darinn den göttertrotzenden Wahnsinn der Menschen, eine ächte Tragödie, um so tragischer da jener Wahnsinn am Ende siegt, und glücklich beharrt in dem Wahne daß seine Luftstadt wirklich existire und daß er die Götter bezwungen und alles erlangt habe, selbst den Besitz der allgewaltig herrlichen Basilea.«

HSA XX,218.

VI. Heine und Deutschland

Heine in der Vorrede zu »Salon I« (1833):

»[...] ohne zu wissen wie, befand ich mich plötzlich auf der Landstraße von Havre, und vor mir her zogen, hoch und langsam, mehre große Bauerwagen, bepackt mit allerlei ärmlichen Kisten und Kasten, altfränkischem Hausgeräte, Weibern und Kindern. Nebenher gingen die Männer, und nicht gering war meine Überraschung, als ich sie sprechen hörte – sie sprachen Deutsch, in schwäbischer Mundart. Leicht begriff ich, daß diese Leute Auswanderer waren, und als ich sie näher betrachtete, durchzuckte mich ein jähes Gefühl, wie ich es noch nie in meinem Leben empfunden, alles Blut stieg mir plötzlich in die Herzkammern und klopfte gegen die Rippen, als müsse es heraus aus der Brust, als müsse es so schnell als möglich heraus, und der Atem stockte mir in der Kehle. Ja, es war das Vaterland selbst das mir begegnete [...].

Es ist eine eigene Sache mit dem Patriotismus, mit der wirklichen Vaterlandsliebe. Man kann sein Vaterland lieben, und achtzig Jahr dabei alt werden, und es nie gewußt haben; aber man muß dann auch zu Hause geblieben sein. Das Wesen des Frühlings erkennt man erst im Winter, und hinter dem Ofen dichtet man die besten Mailieder. Die Freiheitsliebe ist eine Kerkerblume und erst im Gefängnisse fühlt man den Wert der Freiheit. So beginnt die deutsche Vaterlandsliebe erst an der deutschen Grenze, vornehmlich aber beim Anblick deutschen Unglücks in der Fremde. In einem Buche[1], welches mir eben zur Hand liegt, und die Briefe einer verstorbenen Freundin enthält, erschütterte mich gestern die Stelle, wo sie in der Fremde den Eindruck beschreibt, den der Anblick ihrer Landsleute, im Kriege 1813, in ihr hervorbrachte. Ich will die lieben Worte hierhersetzen:

1 »Rahel. Ein Buch des Andenkens für ihre Freunde« (Berlin 1833); Rahel Varnhagen war am 7. März 1833 gestorben.

›Den ganzen Morgen hab ich häufige, bittere Tränen der Rührung und Kränkung geweint! O, ich habe es nie gewußt, daß ich mein Land so liebe! Wie Einer, der durch Physik den Wert des Blutes etwa nicht kennt: wenn mans ihm abzieht, wird er doch hinstürzen.‹
Das ist es. Deutschland, das sind wir selber. Und darum wurde ich plötzlich so matt und krank beim Anblick jener Auswandrer, jener großen Blutströme, die aus den Wunden des Vaterlands rinnen und sich in den afrikanischen Sand verlieren. Das ist es; es war wie ein leiblicher Verlust und ich fühlte in der Seele einen fast physischen Schmerz.«

HSS III,12 und 15f.

Wahrscheinlich im selben Jahr entstanden folgende Verse (»In der Fremde«, III):

Ich hatte einst ein schönes Vaterland,
Der Eichenbaum
Wuchs dort so hoch, die Veilchen nickten sanft.
Es war ein Traum.

Das küßte mich auf deutsch, und sprach auf deutsch
(Man glaubt es kaum
Wie gut es klang) das Wort: »ich liebe dich!«
Es war ein Traum.

HSS IV,370.

Im Sommer 1843 schrieb Heine sein berühmt gewordenes Gedicht »Nachtgedanken«; es erschien 1844 als Überleitung zum »Wintermärchen« in den »Neuen Gedichten«:

Nachtgedanken

Denk ich an Deutschland in der Nacht,
Dann bin ich um den Schlaf gebracht,
Ich kann nicht mehr die Augen schließen,
Und meine heißen Tränen fließen.

Die Jahre kommen und vergehn!
Seit ich die Mutter nicht gesehn,
Zwölf Jahre sind schon hingegangen;
Es wächst mein Sehnen und Verlangen.

Mein Sehnen und Verlangen wächst.
Die alte Frau hat mich behext,
Ich denke immer an die alte,
Die alte Frau, die Gott erhalte!

Die alte Frau hat mich so lieb,
Und in den Briefen, die sie schrieb,
Seh ich, wie ihre Hand gezittert,
Wie tief das Mutterherz erschüttert.

Die Mutter liegt mir stets im Sinn.
Zwölf lange Jahre flossen hin,
Zwölf lange Jahre sind verflossen,
Seit ich sie nicht ans Herz geschlossen.

Deutschland hat ewigen Bestand,
Es ist ein kerngesundes Land,
Mit seinen Eichen, seinen Linden,
Werd ich es immer wiederfinden.

Nach Deutschland lechzt ich nicht so sehr,
Wenn nicht die Mutter dorten wär;
Das Vaterland wird nie verderben,
Jedoch die alte Frau kann sterben.

Seit ich das Land verlassen hab,
So viele sanken dort ins Grab,
Die ich geliebt – wenn ich sie zähle,
So will verbluten meine Seele.

Und zählen muß ich – Mit der Zahl
Schwillt immer höher meine Qual,
Mir ist, als wälzten sich die Leichen,
Auf meine Brust – Gottlob! sie weichen!

Gottlob! durch meine Fenster bricht
Französisch heitres Tageslicht;
Es kommt mein Weib, schön wie der Morgen,
Und lächelt fort die deutschen Sorgen.

HSS IV,432f.

Thomas Mann (1875–1955) in einer erstmals am 3. Januar 1927 in der »Frankfurter Zeitung« veröffentlichten Würdigung Heines:

»Es ist nicht wahr, daß er ein Feind Deutschlands war. Er hat, wie alle großen Deutschen, wie Goethe, Hölderlin, Nietzsche, die sämtlich Erzieher zum Deutschtum, nicht Lobhudler des Deutschtums waren, unter gewissen Schattenseiten des deutschen Wesens gelitten und seinen schmerzlichen Witz daran geübt. Aber sein Gefühl für Deutschland ging, wie alles Gefühl bei ihm, oft genug bis zu Sentimentalität, und wenn der gelegentliche Anschein patriotischer Kälte und Unverbundenheit ein Grund wäre, einem Dichtergeist das Denkmal vorzuenthalten, so dürfte Goethe keine Monumente haben.
Was Heine's Verhältnis zu *Frankreich* betrifft, so war er, gleich Goethe, als Rheinländer dem weltbestechenden Reiz französischer Gesittung von jung auf besonders ausgesetzt. Er hat Frankreich bewundert, gleich Goethe, der erklärte, zuviel von seiner Kultur verdanke er diesem Lande, um es hassen zu können, und hat als Schriftsteller deutsche Philosophie und Dichtung der französischen Neugier mundgerecht zu machen gewußt. Seine politische Willensmeinung ging auf die Befriedung und Sicherung des Kontinents auf Grund der Verständigung und Freundschaft zwischen den beiden großen Kulturvölkern, von denen er glaubte, daß sie zur gegenseitigen Ergänzung, nicht zur gegenseitigen Vernichtung geschaffen seien: Deutschland und Frankreich. Das alles ist nicht infam. Es sind Überzeugungen, zu denen entsetzliche Ereignisse jeden lebenswilligen Geist in beiden Ländern geführt haben. [...]

Wenn das Rheinland dem Dichter der Loreley ein Denkmal zu setzen wünscht, so sollte ganz Deutschland es freudig dabei unterstützen. Denn unendlich viel mehr hat er durch den Glanz und Reiz seines Geistes für den Ruhm Deutschlands gewirkt, als diejenigen je vermöchten, die gegen einen solchen Akt nationaler Dankbarkeit patriotisch eifern.«

Mann: [Über Heinrich Heine]. In: Th. M.: Gesammelte Werke. Bd. 13: Nachträge. Frankfurt a. M.: Fischer, 1974. S. 823 f.

Kasimir Edschmid (1890–1966) in einer am hundertsten Todestag Heines, dem 17. Februar 1956, in Düsseldorf gehaltenen Rede:

»Die politische Wirkung des anderen großen Gedichtwerkes ›Deutschland, ein Wintermärchen‹ kann man nur erfassen, wenn man sich vorstellt, ein ähnliches Poem sei zur Zeit der Hitlerschen Herrschaft von Paris über die Grenzen nach Deutschland gebracht worden. Heines Thema ist ja immer Deutschland. Seine Verbindung von Anbetung und Ironie ist einzigartig in der deutschen Literatur, zumal der Spott, den er ausschüttet, nicht die Nation deklassiert, sondern deutlich die Wunden zeigt, die ihm die deutschen Zustände geschlagen haben. [...]
Er hat Deutschland wahrhaftig wie wenige geliebt. Als er nach Paris übersiedelte, ließ er sich dort in der Bibliothek als Gruß der Heimat die Handschrift der Minnesänger vorlegen, die der Schweizer Ratsherr Manesse einst gesammelt hatte, Verse von hundertvierzig Dichtern der deutschen Frühzeit, darunter Walter von der Vogelweide und die Staufer Heinrich VI. und Konradin. Er schrieb: ›Als ich das Vaterland aus den Augen verlor, fand ich es im Herzen wieder.‹
In einem seiner Testament-Entwürfe stellte er fest, daß er, obwohl er von der Natur und vom Glück mehr als andere Menschen begünstigt worden sei, dennoch ohne Vermögen und Würden sterbe. ›Mein Herz hat es so gewollt‹, schrieb er, ›denn ich liebte immer die Wahrheit und verabscheute die

Lüge.‹ Seinem Glauben an Deutschland, dessen Regierung er verachtet, dessen zärtliches Wesen er immer verehrt hatte, schenkte er das bezaubernde Bekenntnis: ›Wenn in der ganzen Welt die Freiheit verschwunden ist, wird ein deutscher Träumer sie in seinen Träumen wieder entdecken.‹
Aber er weist über diese wehmütige Gläubigkeit hinaus in die Welt der Taten und des Geistes: ›Pflanzt die schwarzrotgoldne Fahne auf die Höhe des deutschen Gedankens, macht sie zur Standarte des freien Menschentums, und ich will mein bestes Herzblut für sie hingeben. Beruhigt Euch, ich liebe das Vaterland ebenso sehr wie Ihr. Wegen dieser Liebe habe ich dreizehn Lebensjahre im Exil verlebt. Ich bin des freien Rheines weit freierer Sohn.‹
Kann man etwas Besseres anführen, um mit Ernst und Würde sagen zu dürfen, daß wir nicht nur einen Dichter sondern auch einen von rücksichtsloser Vaterlands-Leidenschaft besessenen Patrioten geehrt haben?«

Edschmid: Heinrich Heine. In: Jahrbuch 1955 der Deutschen Akademie für Sprache und Dichtung Darmstadt. Heidelberg: Schneider, 1956. S. 100 und 103f.

Mathias Schreiber (geb. 1943):

Heine-Splitter

Parallelen:

Heines Schriften wurden
1835 vom deutschen Bundestag verboten,
1933 vom deutschen Reich verbrannt,
1972 von der deutschen Jugend
vergessen.

Proportionen:

In meinem Lesebuch
fand ich mehr Gedichte von Hermann Hesse
als von Heinrich Heine.
Im Rheinland gibt es eine Friedrich-Wilhelm-Universität,

aber keine einzige Hochschule,
die sich den Namen Heinrich Heines
zutrauen darf.[2]

Deutscher Zufall:
Heine kommt im Lexikon
gleich nach Heindl,
der die Registrierung der Verbrecher
nach Fingerabdrücken
in Deutschland angeregt hat.

Geständnisse. Heine im Bewußtsein heutiger Autoren. Hrsg. von Wilhelm Gössmann. Düsseldorf: Droste-Verlag, 1972. S. 257f.

Günter Kunert (geb. 1929) erstmals in der Ostberliner Zeitschrift »Neue Deutsche Literatur« 20 (1972) H. 11, S. 9:

H. H. postum ins Stammbuch

Zu Düsseldorf am Rheine,
Da steht kein Monument
Von dir, mein Heinrich Heine,
Weil dich da keiner kennt.

Ein Jude als deutscher Dichter,
und predigt gar Revolution:
das verzeiht das deutsche Gelichter
niemals einem Landessohn.

Sie haben statt deiner Lieder
im Kopfe gutdeutschen Mist:
Komm vorsichtshalber nicht wieder
Und bleib so tot wie du bist.

2 In Düsseldorf gab es mehrere Initiativen, die dortige Universität nach Heine zu benennen; sie scheiterten am Widerstand des Kultusministers (1965) bzw. am Veto des Satzungskonvents der Hochschule (1972).

VII. Literaturhinweise

1. Texte und Dokumente

Deutschland. Ein Wintermährchen. Von Heinrich Heine. Hamburg. Bei Hoffmann und Campe. 1844. Faksimiledruck: Osnabrück 1970. (Edition simile. Nr. 12.)

Heinrich Heines sämtliche Werke. Mit Einleitungen, erläuternden Anmerkungen und Verzeichnissen sämtlicher Lesarten. Von Ernst Elster. 7 Bde. Leipzig: Bibliographisches Institut, [1887–90]. [Bd. 2: »Deutschland. Ein Wintermärchen«.] – 2., krit. durchges. und erl. Ausg. 4 Bde. Ebd. [1925].

Heines Werke in zehn Bänden. Unter Mitwirkung von Jonas Fränkel [u. a.] hrsg. von Oskar Walzel. Leipzig: Insel-Verlag, 1910–15. [Bd. 2: »Deutschland. Ein Wintermärchen«.] Registerband ebd. 1920.

Heinrich Heine. Deutschland. Ein Wintermärchen. Faksimiledruck nach der Handschrift des Dichters nebst vier Blättern des Brouillons aus dem Nachlasse der Kaiserin Elisabeth von Österreich. Mit einem Nachw. hrsg. von Friedrich Hirth. Berlin: Lehmann, 1915.

Werke und Briefe. Hrsg. von Hans Kaufmann. 10 Bde. Berlin [Ost]: Aufbau-Verlag, 1961–64. [2]1972. [Bd. 1: »Deutschland. Ein Wintermärchen«.]

Sämtliche Schriften. Hrsg. von Klaus Briegleb in Zusammenarbeit mit Günter Häntzschel [u. a.]. 6 in 7 Bdn. München: Hanser, 1968–76. [Zit. als: HSS.] [Bd. 4: »Deutschland. Ein Wintermärchen«.]

Säkularausgabe. Werke, Briefwechsel, Lebenszeugnisse. Hrsg. von den Nationalen Forschungs- und Gedenkstätten der klassischen deutschen Literatur in Weimar und dem Centre National de la Recherche Scientifique in Paris. Berlin [Ost]: Akademie-Verlag / Paris: Editions du CNRS, 1970 ff. [Zit. als: HSA.] [Bd. 2: »Deutschland. Ein Wintermärchen«.]

Historisch-kritische Gesamtausgabe der Werke. Hrsg. von Manfred Windfuhr. Hamburg: Hoffmann und Campe, 1973 ff. [»Deutschland. Ein Wintermärchen« liegt noch nicht vor.]

Dichter über ihre Dichtungen. Bd. 8: Heinrich Heine. Hrsg. von Norbert Altenhofer. 3 Bde. München: Heimeran, 1971.

Begegnungen mit Heine. Berichte der Zeitgenossen. Hrsg. von Michael Werner in Fortführung von Heinrich Hubert Houbens »Gespräche mit Heine«. 2 Bde. Hamburg: Hoffmann und Campe, 1973.

2. Bibliographien und Forschungsberichte

Heine-Bibliographie von Gottfried Wilhelm unter Mitarb. von Eberhard Galley. 2 Bde. Weimar 1960.

Heine-Bibliographie 1954–1964. Bearb. von Siegfried Seifert. Berlin [Ost] / Weimar 1968.

Jost Hermand: Streitobjekt Heine. Ein Forschungsbericht. 1945–1975. Frankfurt a. M. 1975. (Fischer Athenäum Taschenbücher. Nr. 2101.)

Beatrix Müller: Die französische Heine-Forschung 1945–1975. Meisenheim am Glan 1977. (Hochschulschriften: Literaturwissenschaft. Bd. 28.)

Heine-Jahrbuch. Hrsg. vom Heine-Archiv Düsseldorf. Hamburg 1961 ff.

3. Zu Leben, Werk und Rezeption

Becker, Karl Wolfgang [u. a.] (Red.): Heinrich Heine. Streitbarer Humanist und volksverbundener Dichter. Internationale wissenschaftliche Konferenz aus Anlaß des 175. Geburtstages von Heinrich Heine vom 6. bis 9. Dezember 1972 in Weimar. Weimar [1973].

Berger, Uwe / Neubert, Werner (Hrsg.): Ich hab ein neues Schiff bestiegen ... Heine im Spiegel neuer Poesie und Prosa. Eine Anthologie. Berlin [Ost] / Weimar [1972].

Fairley, Barker: Heinrich Heine. An Interpretation. Oxford 1954. (Übers. Stuttgart 1965.)

Galley, Eberhard: Heinrich Heine im Widerstreit der Meinungen 1825–1965. Düsseldorf 1967. (Schriften der Heine-Gesellschaft Düsseldorf. Nr. 3.)

Galley, Eberhard: Heinrich Heine. 4., durchges. und verb. Aufl. Stuttgart 1976. (Sammlung Metzler. Bd. 30.)

Galley, Eberhard: Heinrich Heine. Lebensbericht mit Bildern und Dokumenten. Kassel 1973.

Gössmann, Wilhelm (Hrsg.): Geständnisse. Heine im Bewußtsein heutiger Autoren. Düsseldorf 1972.

Gössmann, Wilhelm (Hrsg.): Heine im Deutschunterricht. Ein literaturdidaktisches Konzept. Düsseldorf 1978. (Fach: Deutsch. Schriften für Deutschlehrer.)

Hofrichter, Laura: Heinrich Heine. Biographie seiner Dichtung. Göttingen 1966. (Kleine Vandenhoeck-Reihe. Nr. 230 S.)

Hotz, Karl (Hrsg.): Heinrich Heine. Wirkungsgeschichte als Wirkungskritik. Materialien zur Rezeptions- und Wirkungsgeschichte Heines. Stuttgart 1975.

Kaufmann, Hans: Heinrich Heine. Geistige Entwicklung und künstlerisches Werk. Berlin [Ost] / Weimar [3]1976.

Kleinknecht, Karl Theodor (Hrsg.): Heine in Deutschland. Dokumente seiner Rezeption 1834 bis 1956. Tübingen 1976. (Deutsche Texte. 36.)

Koopmann, Helmut (Hrsg.): Heinrich Heine. Darmstadt 1975. (Wege der Forschung. Bd. 289.)

Kreutzer, Leo: Heine und der Kommunismus. Göttingen 1970. (Kleine Vandenhoeck-Reihe. Nr. 322.)

Kruse, Joseph A.: Heines Hamburger Zeit. Hamburg 1972.

Kuttenkeuler, Wolfgang: Heinrich Heine. Theorie und Kritik der Literatur. Stuttgart 1972. (Sprache und Literatur. Bd. 72.)

Kuttenkeuler, Wolfgang (Hrsg.): Heinrich Heine. Artistik und Engagement. Stuttgart 1977.

Lukács, Georg: Heinrich Heine als nationaler Dichter. In: G. L.: Deutsche Realisten des 19. Jahrhunderts. Berlin [Ost] 1956. S. 88–145.

Marcuse, Ludwig: Heinrich Heine in Lebenszeugnissen und Bilddokumenten. Reinbek bei Hamburg 1960. (rowohlts monographien. Bd. 41.)

Marcuse, Ludwig: Heinrich Heine. Ein Leben zwischen Gestern und Morgen. Berlin 1932, Hamburg ²1951. 3., veränderte Aufl. u. d. T. »Heine. Melancholiker, Streiter in Marx, Epikureer« Rothenburg ob der Tauber 1970 (auch als Diogenes Taschenbuch 21/IX).

Mende, Fritz: Heinrich Heine im Literaturunterricht. Berlin [Ost] 1965.

Mende, Fritz: Heine-Chronik. Daten zu Leben und Werk. München/Wien 1975. (Reihe Hanser. Bd. 197.)

Preisendanz, Wolfgang: Heinrich Heine. Werkstrukturen und Epochenbezüge. München 1973. (UTB. Bd. 206.)

Schweickert, Alexander: Heinrich Heines Einflüsse auf die deutsche Lyrik 1830–1900. Bonn 1969.

Sternberger, Dolf: Heinrich Heine und die Abschaffung der Sünde. Hamburg/Düsseldorf 1972.

Storz, Gerhard: Heinrich Heines lyrische Dichtung. Stuttgart 1971.

Wadepuhl, Walter: Heinrich Heine. Sein Leben und seine Werke. Köln/Wien 1974.

Wiese, Benno von: Signaturen. Zu Heinrich Heine und seinem Werk. Berlin 1976.

Windfuhr, Manfred (Hrsg.): Internationaler Heine-Kongreß Düsseldorf 1972. Referate und Diskussionen. Hamburg 1973.

Windfuhr, Manfred: Heinrich Heine. Revolution und Reflexion. 2., überarb. und erg. Aufl. Stuttgart 1976.

4. Zu »Deutschland. Ein Wintermärchen«

Atkinson, Ross: Irony and Commitment in Heine's ›Deutschland. Ein Wintermärchen‹. In: The Germanic Review 50 (1975) S. 184–202.

Bark, Joachim: Heine im Vormärz: Radikalisierung oder Verweigerung? Eine Untersuchung der Versepen. In: Der Deutschunterricht 31 (1979) H. 2. S. 47–60.

Berendsohn, Walter A.: Das Wort als geistige Waffe. Heines politische Dichtung ›Deutschland. Ein Wintermärchen‹. Dortmund 1960. (Dortmunder Vorträge. H. 37.)

Buisonjé, J. C. de: Zur Heine-Philologie. In: Neophilologus 9 (1924) S. 276 bis 281.

Fingerhut, Karl-Heinz (Hrsg.): Heinrich Heine: Deutschland. Ein Wintermärchen. Mit ergänzenden Texten zum historischen Verständnis engagierter Poesie des deutschen Vormärz. Frankfurt a. M. 1976. (Literatur und Geschichte. Unterrichtsmodelle.)

Fingerhut, Karl-Heinz: Heinrich Heine: Deutschland. Ein Wintermärchen. Frankfurt a. M. 1976. (Literatur und Geschichte. Modellanalysen.)

Fingerhut, Karl-Heinz: Probleme und Methoden des Kontextuierens historischer Literatur am Beispiel der Barbarossa-Episode des ›Wintermärchens‹. In: Heine im Deutschunterricht. Hrsg. von Wilhelm Gössmann. Düsseldorf 1978. S. 105–132.

Galley, Eberhard: François Willes Erinnerungen an Heinrich Heine. In: Heine-Jahrbuch 6 (1967) S. 3–20.

Gössmann, Wilhelm / Woesler, Winfried: Politische Dichtung im Unterricht. ›Deutschland. Ein Wintermärchen‹ von Heinrich Heine. Text – Kommentare – Unterrichtshinweise – Materialien. Düsseldorf 1974. (Fach: Deutsch. Schriften für Deutschlehrer.)

Grupe, Walter: Der zensierte Heine. In: Neue Deutsche Literatur 5 (1957) H. 8. S. 169–171.

Grupe, Walter: Heines ›Wintermärchen‹ und die preußische Zensur. Nach Akten des Deutschen Zentralarchivs. In: Deutschunterricht 16 (Berlin [Ost] 1963) H. 10. S. 563f.

Hammerich, Louis Leonor: Heinrich Heine. Deutschland. Ein Wintermärchen. Kopenhagen 1921, 2., erw. Aufl. 1946.

Hammerich, L. L.: Eine Nebenquelle der Barbarossaszene in Heines ›Wintermärchen‹. In: Neophilologus 16 (1931) S. 98–101.

Hermand, Jost: Heines ›Wintermärchen‹ – Zum Topos der ›deutschen Misere‹. In: Diskussion Deutsch 8 (1977) H. 35. S. 234–249.

Houben, Heinrich Hubert: Verbotene Literatur von der klassischen Zeit bis zur Gegenwart. Bd. 1. Berlin 1924. S. 414–423.

Kaufmann, Hans: Gestaltungsprobleme in Heines ›Wintermärchen‹. In: Weimarer Beiträge 3 (1957) S. 244–266.

Kaufmann, Hans: Politisches Gedicht und klassische Dichtung. Heinrich Heine. Deutschland. Ein Wintermärchen. Berlin [Ost] 1958.

Knipovič, Jewgenija F.: ›Deutschland. Ein Wintermärchen‹. In: Internationaler Heine-Kongreß Düsseldorf 1972. Hrsg. von Manfred Windfuhr. Hamburg 1973. S. 190–201.

Krappe, Alexander Haggerty: Notes sur ›Deutschland ein Wintermärchen‹ de Henri Heine. In: Neophilologus 17 (1932). S. 110–115.

Krippendorf, Klaus: Johannes R. Bechers Wintermärchen-Kontrafaktur als poetisches Medium der Auseinandersetzung mit dem Faschismus. In: Wissenschaftliche Zeitschrift der Friedrich-Schiller-Universität Jena. Gesellschafts- und sprachwissenschaftliche Reihe 23 (1974) H. 1. S. 135–141.

Kühn, Heinz: Politisches Gedicht und sozialistische Erziehung. Versuch einer Interpretation der in der Oberschule zu behandelnden Kapitel des ›Wintermärchens‹ von Heinrich Heine. In: Deutschunterricht 14 (Berlin [Ost] 1961) H. 2. S. 94–107.

Loeben, Maria-Beate von: Deutschland. Ein Wintermärchen. Politischer Gehalt und poetische Leistung. In: Germanisch-Romanische Monatsschrift N. F. 20 (1970) S. 265–285.

Lukács, Georg: Heine und die ideologische Vorbereitung der achtundvierziger Revolution. In: Geist und Zeit (1956) H. 5. S. 24–44.

Meier-Lenz, D. P.: Heinrich Heine – Wolf Biermann. Deutschland – *zwei* Wintermärchen – ein Werkvergleich. Bonn 1977. (Abhandlungen zur Kunst-, Musik- und Literaturwissenschaft. Bd. 246.)

Prawer, Siegbert: Heines satirische Versdichtung. In: Der Berliner Germanistentag 1968. Vorträge und Berichte. Hrsg. von Karl Heinz Borck und Rudolf Henss. Heidelberg 1970. S. 179–195.

Raddatz, Fritz J.: Heinrich Heines Wintermärchen. In: Merkur 31 (1977) S. 545–555.

Sammons, Jeffrey L.: Hunting Bears and Trapping Wolves: ›Atta Troll‹ and ›Deutschland. Ein Wintermärchen‹. In: Heinrich Heine. Artistik und Engagement. Hrsg. von Wolfgang Kuttenkeuler. Stuttgart 1977. S. 105–117.

Schmidt, Egon: Zur Rezeption von Heines Dichtung ›Deutschland. Ein Wintermärchen‹ in der sozialdemokratischen Parteiliteratur der siebziger Jahre. In: Heinrich Heine. Streitbarer Humanist und volksverbundener Dichter. Red. Karl Wolfgang Becker [u. a.] Weimar [1973]. S. 396–403 und 504.

Tonelli, Giorgio: Heinrich Heines politische Philosophie (1830–1845). Hildesheim 1975. (Studien und Materialien zur Geschichte der Philosophie. Bd. 9.) S. 163–196.

Walwei-Wiegelmann, Hedwig: Wolf Biermanns Versepos ›Deutschland. Ein Wintermärchen‹ – in der Nachfolge Heinrich Heines? In: Heine-Jahrbuch 14 (1975) S. 150–166.

Woesler, Winfried: Das Liebesmotiv in Heines politischer Versdichtung. In: Internationaler Heine-Kongreß Düsseldorf 1972. Hrsg. von Manfred Windfuhr. Hamburg 1973. S. 202–218.

Würffel, Stefan Bodo: Heinrich Heines negative Dialektik. Zur Barbarossa-Episode des ›Wintermärchens‹. In: Neophilologus 61 (1977) S. 421–438.

5. *Hilfsmittel*

Bilder-Conversations-Lexikon für das deutsche Volk. Ein Handbuch zur Verbreitung gemeinnütziger Kenntnisse und zur Unterhaltung. 4 Bde. Leipzig 1837–41. [Zit. als: Brockhaus.]

Grimm, Jacob und Wilhelm: Deutsches Wörterbuch. 16 Bde. Leipzig 1854–1960. [Zit. als: Grimm.]

Kluge, Friedrich: Etymologisches Wörterbuch der deutschen Sprache. 20. Aufl., bearb. von Walther Mitzka. Berlin 1967.

Röhrich, Lutz: Lexikon der sprichwörtlichen Redensarten. 2 Bde. Freiburg/Basel/Wien 1973.

Erläuterungen und Dokumente

zu Büchner, *Dantons Tod.* (J. Jansen) 8104
zu Büchner, *Woyzeck.* (L. Bornscheuer) 8117
zu Droste-Hülshoff, *Die Judenbuche.* (W. Huge) 8145
zu Dürrenmatt, *Der Besuch der alten Dame.* (K. Schmidt) 8130
zu Fontane, *Effi Briest.* (W. Schafarschik) 8119 [2]
zu Fontane, *Frau Jenny Treibel.* (W. Wagner) 8132 [2]
zu Fontane, *Irrungen, Wirrungen.* (F. Betz) 8146 [2]
zu Fontane, *Schach von Wuthenow.* (W. Wagner) 8152 [2]
zu Fontane, *Der Stechlin.* (H. Aust) 8144 [2]
zu Frisch, *Biedermann und die Brandstifter.* (I. Springmann) 8129 [2]
zu Goethe, *Egmont.* (H. Wagener) 8126 [2]
zu Goethe, *Götz von Berlichingen.* (V. Neuhaus) 8122 [2]
zu Goethe, *Hermann und Dorothea.* (J. Schmidt) 8107 [2]
zu Goethe, *Iphigenie auf Tauris.* (J. Angst und F. Hackert) 8101
zu Goethe, *Die Leiden des jungen Werthers.* (K. Rothmann) 8113 [2]
zu Grass, *Katz und Maus.* (A. Ritter) 8137 [2]
zu Grillparzer, *König Ottokars Glück und Ende.* (K. Pörnbacher) 8103
zu Grillparzer, *Weh dem, der lügt!* (K. Pörnbacher) 8110
zu Hauptmann, *Bahnwärter Thiel.* (V. Neuhaus) 8125
zu Hauptmann, *Der Biberpelz.* (W. Bellmann) 8141
zu Hebbel, *Agnes Bernauer.* (K. Pörnbacher) 8127 [2]
zu Hebbel, *Maria Magdalena.* (K. Pörnbacher) 8105
zu Heine, *Deutschland. Ein Wintermärchen.* (W. Bellmann) 8150 [2]
zu Hoffmann, *Das Fräulein von Scuderi.* (H. U. Lindken) 8142 [2]
zu Kaiser, *Von morgens bis mitternachts.* (E. Schürer) 8131 [2]
zu Keller, *Das Fähnlein der sieben Aufrechten.* (J. Schmidt) 8121
zu Keller, *Romeo und Julia auf dem Dorfe.* (J. Hein) 8114

zu Kleist, *Das Käthchen von Heilbronn.* (D. Grathoff) 8139 [2]
zu Kleist, *Michael Kohlhaas.* (G. Hagedorn) 8106
zu Kleist, *Prinz Friedrich von Homburg.* (F. Hackert) 8147 [3]
zu Kleist, *Der zerbrochne Krug.* (H. Sembdner) 8123 [2]
zu J. M. R. Lenz, *Die Soldaten.* (H. Krämer) 8124
zu Lessing, *Emilia Galotti.* (J.-D. Müller) 8111 [2]
zu Lessing, *Minna von Barnhelm.* (J. Hein) 8108
zu Lessing, *Nathan der Weise.* (P. von Düffel) 8118 [2]
zu Th. Mann, *Mario und der Zauberer.* (K. Pörnbacher) 8153
zu Th. Mann, *Tristan.* (U. Dittmann) 8115
zu Meyer, *Das Amulett.* (H. Martin) 8140
zu Mörike, *Mozart auf der Reise nach Prag.* (K. Pörnbacher) 8135 [2]
zu Nestroy, *Lumpazivagabundus.* (J. Hein) 8148 [2]
zu Nestroy, *Der Talisman.* (J. Hein) 8128
zu Schiller, *Don Carlos.* (K. Pörnbacher) 8120 [3]
zu Schiller, *Kabale und Liebe.* (W. Schafarschik) 8149 [2]
zu Schiller, *Maria Stuart.* (Chr. Grawe) 8143 [3]
zu Schiller, *Die Räuber.* (Chr. Grawe) 8134 [3]
zu Schiller, *Wallenstein.* (K. Rothmann) 8136 [3]
zu Schiller, *Wilhelm Tell.* (J. Schmidt) 8102
zu Shakespeare, *Hamlet.* (H. H. Rudnick) 8116 [3]
zu Stifter, *Abdias.* (U. Dittmann) 8112
zu Stifter, *Brigitta.* (U. Dittmann) 8109
zu Storm, *Der Schimmelreiter.* (H. Wagener) 8133 [2]
zu Wedekind, *Frühlings Erwachen.* (H. Wagener) 8151 [2]
zu Zuckmayer, *Der Hauptmann von Köpenick.* (H. Scheible) 8138 [2]

In Vorbereitung:

zu Goethe, *Tasso*
zu Goethe, *Die Wahlverwandtschaften*
zu Hoffmann, *Der goldne Topf*
zu Kleist, *Amphitryon*

Philipp Reclam jun. Stuttgart

Universal-Bibliothek

Andreas Gryphius

Absurda Comica Oder Herr Peter Squentz

Kritische Ausgabe

Reclam

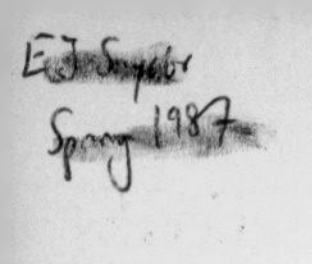